LA DÉPRIME
de Denis Bouchard, Rémy Girard,
Raymond Legault et Julie Vincent
est le quatre cent quatrième ouvrage
publié chez
VLB ÉDITEUR.

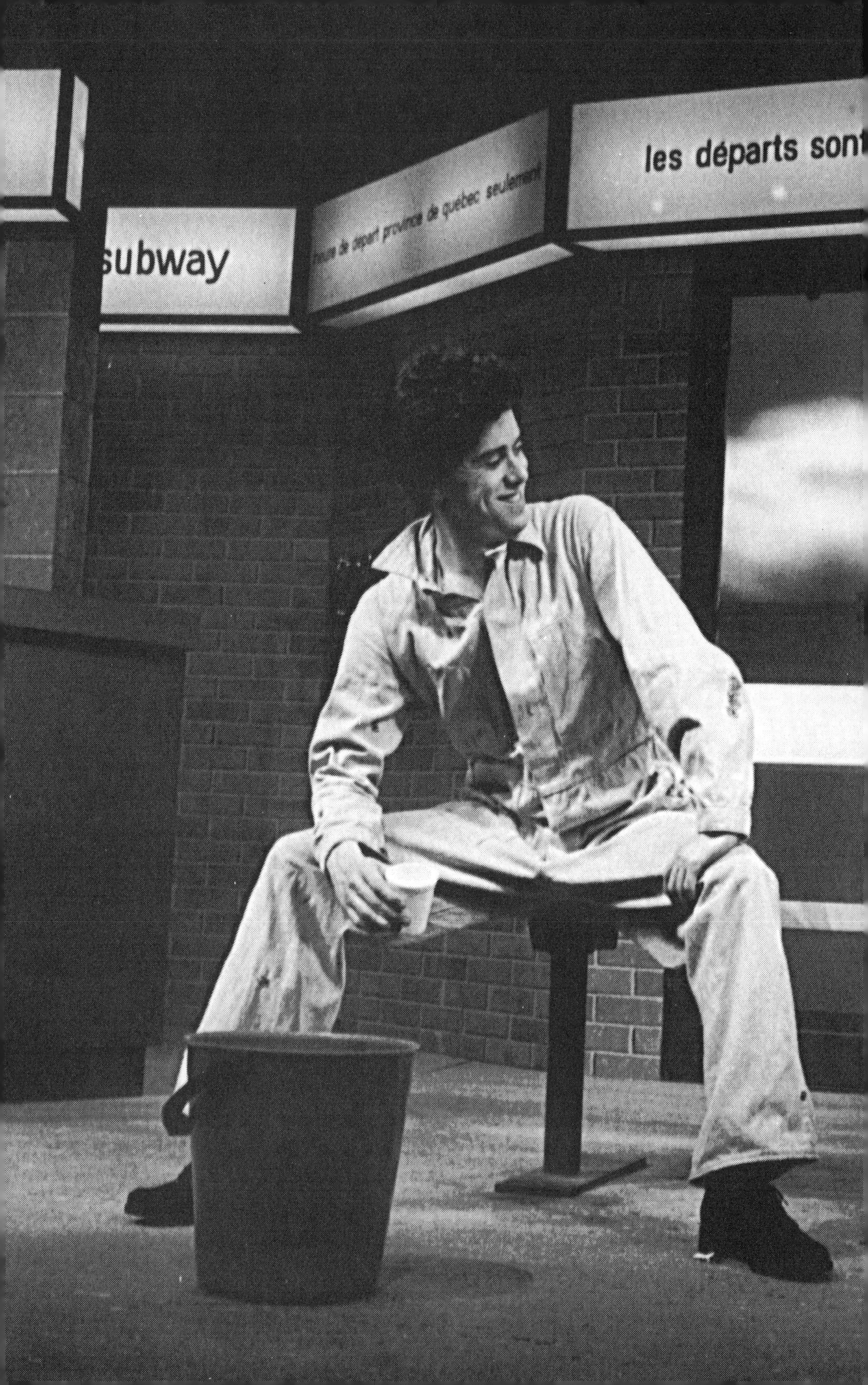
subway
les départs sont

Denis Bouchard, Rémy Girard,
Raymond Legault, Julie Vincent

La déprime

théâtre

vlb éditeur

VLB ÉDITEUR
1000, rue Amherst, suite 102
Montréal (Qué.)
H2L 3K5
Tél.: (514) 523-1182
Télécopieur: (514) 282-7530

Maquette de la couverture:
Katherine Sapon
Photos: Jean-Guy Thibodeau

Distribution:
AGENCE DE DISTRIBUTION POPULAIRE
955, rue Amherst
Montréal (Qué.)
H2L 3K4
Tél.: à Montréal: 523-1182
        de l'extérieur: 1-800-361-4806

Dépôt légal — 3ᵉ trimestre 1991
Bibliothèque nationale du Québec
ISBN 2-89005-459-4

Préface

On disait l'autre jour à la radio qu'en son point critique la récession économique devient dépression.

Ils attendent l'autobus dans cette période de manque qui, dans une gare, semble durer toujours.

Ils attendent sans attendre. Ils s'attendent sans se trouver. Ils font semblant de faire les cent pas devant les objets perdus, le cœur battant, ne sachant ni pour qui ni pourquoi.

Ils ne font pas le voyage qu'ils s'attendent de faire et chacun des quarante-cinq personnages a la nostalgie de ce faux départ.

Le billet de loterie et le billet d'autobus s'usent un peu de la même manière. Faut en acheter un autre et puis un autre et puis un autre encore, mais le terminus d'autobus demeure inchangé.

Quand on reste sensible à la vraisemblance de tout ce train-train solitaire à l'intérieur des personnages, alors on a vraiment envie de faire rire le monde.

Pour les acteurs tout bascule, tout devient irrésistiblement comique quand chacun des personnages a son «overdose» de «blues».

Vous connaissez la vieille histoire chinoise. Des gens courent, se heurtent, se relèvent, se précipitent vers quelque chose, le souffle court; puis soudain, l'œil affolé, quelqu'un regarde «Le Temps» et lui demande: «Mais qu'est-ce que t'as à passer si vite?»

Lentement «Le Temps» se détourne pour lui répondre: «Tu t'es pas vu mon vieux!»

Il en va un peu des acteurs de cette comédie comme pour ce vieil adage.

L'ailleurs c'est juste pour donner une chance à l'imprévu et c'est vrai: quand on rit on est déjà un peu ailleurs.

JULIE VINCENT
25 août 1991

À *la mémoire de Frégoli (1867-1936), acteur italien, génie de la transformation, qui jouait jusqu'à cent personnages par spectacle. On appelle depuis lors des «frégolis» le genre de théâtre dans lequel les acteurs jouent de nombreux personnages.*

Nous remercions le théâtre de La Licorne, André Brassard et le théâtre du Centre national des arts, Mercedès Palomino et le théâtre du Rideau-Vert de leur précieuse collaboration.

LA DÉPRIME
a été créée au théâtre de La Licorne
le 6 novembre 1981, à Montréal,
par les Productions du Klaxon,
et interprétée par:
Julie Vincent
Denis Bouchard
Raymond Legault
dans une mise en scène de Rémy Girard.

Version remaniée de la pièce originale,
LA PETITE DÉPRIME
a été jouée en théâtre midi,
au Centre national des arts,
le 28 septembre 1982, à Ottawa,
par les comédiens de la première production
et Rémy Girard.

Troisième version de l'œuvre,
la présente édition de *LA DÉPRIME*
a été présentée au théâtre du Rideau-Vert,
le 2 février 1983 à Montréal
par les comédiens de la production précédente
et Suzanne Champagne
et co-produite par les Productions du Klaxon
et les Productions Jean-Claude Lespérance
avec la complicité artistique d'Isabelle Doré
dans une scénographie de Bernard Boissonneault
avec la collaboration de Luc Prairie et de Sylvain Prairie
aux éclairages
et la collaboration de Fabienne Dor
aux costumes et aux accessoires.

PERSONNAGES PRINCIPAUX

FRED

Commis, 60 ans. Vieux garçon. Vend des billets au terminus depuis 40 ans. Secrètement amoureux de Louëlla.

SYLVIE

Jeune commis de 20 ans environ. C'est une rêveuse. Douce. Un peu dans les nuages en apparence, mais très perspicace.

PAUL-EDMOND GAGNON

Jeune homme de 20 ans. Il va se marier aujourd'hui. Le ciel va lui tomber sur la tête.

LOUËLLA

Chauffeuse de taxi, 45 ans. Blagueuse. Fière de son métier. Secrètement amoureuse de Fred. C'est une fonceuse.

EUGÈNE SAULI

Vieux monsieur distrait. Perdu. Il a rendez-vous avec son cousin Eddy qui doit venir le chercher.

LE GARDE

Un garde de sécurité fier de son autorité, mais qui a de la difficulté à s'en servir.

CHRISTIANE

Jeune étudiante. Timide jusqu'à en être malade. Pour se guérir, décide de faire des interviews pour sa maîtrise en communications.

Madame Lemieux

Femme de tête. Énergique. Elle, elle a trouvé une solution géniale à la pénurie de garderies.

Marie Lemieux

Petite fille de cinq ans. Espiègle. Genre petit monstre.

Légaré

Notre héros. Chauffeur d'autobus «slacké» après avoir eu un accident sans gravité. Attend depuis trois mois de reprendre le service.

Gervais

Le jeune «boss». Chef du personnel. Il joue sur tous les plans pour plaire à tout le monde. Spécialiste du chantage émotif.

St-Georges Saucier

Le chef syndical. C'est un négociateur-né. Il parle fort. Il parle haut. Du moment qu'il négocie, peu importe quoi, il est heureux.

Un rockeur

Jeune brun de 20 ans. Il a l'air très dangereux mais, dans le fond, c'est une bonne âme.

Jacqueline

Jeune fille très «macramé, granola». Sac à dos, chapeau Davy Crockett. Un peu tête en l'air.

Un clochard

Il se promène dans le terminus. Fouille dans les poubelles et les téléphones, au cas où... Il aime écouter la T.V. à péage. Son émission préférée est Goldorak à qui il s'identifie.

EDDY «ÉROS» SAULI

Vendeur d'objets érotiques. Un vendeur-né. De la brosse à plancher à l'objet érotique, il n'y a rien à son épreuve. C'est le cousin d'Eugène Sauli.

L'INITIÉ

Jeune étudiant en médecine. C'est son premier jour, celui de l'initiation. Il est en fort mauvaise posture.

COLUMBA

C'est une terreur. Le pendant féminin de Columbo. C'est une détective antisexiste qui dénonce le sexisme où qu'il se trouve. Elle se déguise pour attraper ses proies.

L'EXHIBITIONNISTE

Un parmi tant d'autres. Vêtu d'un seul imperméable, c'est le vicieux classique.

LE HIPPIE

C'est un accroché des années 68-69. Un «cap d'acide» de trop a brûlé irrémédiablement son cerveau. Il se promène sans trop savoir où il va.

ADÈLE ST-ZOTIQUE

Danseuse topless. Elle fait carrière surtout en province, dans les petites places, les petits hôtels les plus reculés. Cynique et désabusée; la vie est dure pour elle.

JOJO

Jeune vendeuse ambulante, un peu punk. Elle vend des lettres d'amour. Son costume est constellé de lettres de toutes les couleurs. C'est une personne qui aime la poésie. Artiste de la rue, elle peut jouer de l'accordéon.

MESDAMES DUMONT ET BIGRAS

Deux vieilles femmes qui adorent voyager. Elles ne tiennent pas en place. Madame Dumont est douce, légèrement dure d'oreille. Elle porte un ancien appareil auditif. Madame Bigras, elle, est plus énergique. C'est une malcommode. Elle marche avec une canne.

RÉJEAN

Jeune homme légèrement attardé mentalement. Il traîne souvent au terminus où il rend de petits services à un peu tout le monde. Il aime bien la compagnie de Sylvie. C'est un fan de la mini-loto. *Remarque:* Il est attardé, mais *pas idiot*.

FENDER

Jeune homme qui se prend pour un play-boy. Le type même du macho. Il se croit véritablement irrésistible.

LUCIEN POULIOT

Un des chauffeurs de la compagnie. Grosse voix. Amateur de hockey. Voit pas plus loin que le bout de son nez. Pour un chauffeur, c'est dur!

YOLANDE LACOSTE

Seule femme chauffeur de la compagnie. Elle fait la ligne Montréal-Montebello. C'est une femme forte. Son plaisir, c'est de taquiner Lucien, qu'elle trouve un peu épais.

BERTRAND

Un autre chauffeur. Bonne pâte. Taciturne. C'est un maniaque des heures supplémentaires. Il travaille pour s'acheter une maison.

GHYSLAINE

Femme de Bertrand. C'est une fille qui aime beaucoup son mari. Elle est débrouillarde et très énergique. Elle parle avec l'accent du Saguenay–Lac-Saint-Jean.

BLAISE

Frère des Écoles chrétiennes. Un dur de dur. N'a pas accepté la réforme de l'éducation et regrette le temps où l'autorité était la règle. Il est amer.

ANITA

Compagne de Blaise. Religieuse. Sœur du Bon Pasteur. Elle partage le point de vue de Blaise sur l'éducation. Les deux s'en vont dans un congrès de la CEQ à Shawinigan.

MO

Un employé du service d'entretien. Salopette. Cheveux impeccables sous une permanente, il se croit irrésistible avec les femmes. C'est le genre grand parleur.

LARRY

Compagnon inséparable de Mo qu'il admire au point de répéter tout ce que Mo fait. Pas plus intelligent.

MARC

Un voyageur pressé et timide. On sent qu'il a été élevé à coups de pied. Dès qu'on lui parle un peu fort, il se met à hurler par défense. Il est encore plus timide que Christiane.

SIMON PRUDE

Psychanalyste. Ça veut tout dire! Il aime se promener dans les endroits publics pour épier les clients éventuels.

MINOU ET PITOU

Ils sont incapables de se définir individuellement, car ils sont un couple. Ce sont de grands bébés. Rien ne va plus dans leur union; trop de recherches et de tensions les éloignent, mais ils sont animés par l'énergie du désespoir... et un bon moniteur. C'est un couple de banlieue, dans la quarantaine.

PERSONNAGES SECONDAIRES

(qui ne font que passer)

Une vieille quêteuse
Une religieuse
Un musicien
Une fille (voleuse)
Un homme enrhumé
Un avocat
Un «baron»
Un soldat
La vieille dame à la sacoche
Un employé
Monsieur «X»
Un voyageur gaspésien
Un joggeur

La pièce a été conçue pour être jouée par au moins cinq
acteurs et actrices. Lorsque jouée à cinq, en voici la distribution nécessaire:

Acteur 1

Légaré
Fred
La rockeur
Le clochard
Le hippie
Simon Prude
L'avocat
Le joggeur
Monsieur «X»
L'initié

Acteur 2

Le garde
Fender
Eugène Sauli
St-Georges
Pitou
Bertrand
Mo
Marc
L'exhibitionniste
Le musicien
Le voyageur gaspésien

Acteur 3

Paul-Edmond
Gervais
Éros
Réjean
Larry
Blaise
Lucien Pouliot
Le «baron»
Le soldat
L'employé

Actrice 1

Sylvie
Marie Lemieux
Jojo
Columba
Adèle St-Zotique
Louëlla
Madame Bigras
Ghyslaine
Une religieuse

Actrice 2

Madame Lemieux
Christiane
Madame Dumont
Minou
Jacqueline
Anita
Yolande Lacoste
La vieille quêteuse
La vieille dame
La fille voleuse

LE DÉCOR

Le décor représente le terminus d'autobus de la rue Berri, à Montréal. Vu du public, à gauche, un banc avec un appareil de télévision à péage. Juste derrière, une première sortie (A) qui donne dans les bureaux du terminus. Au fond, toujours à gauche, le guichet et la sortie (B). Au centre, derrière, la sortie (C) qui donne sur les quais d'embarquement. À droite, la sortie (D) qui donne derrière les deux téléphones publics à l'avant-scène droite. Au centre de la scène, un banc public.

REMARQUE:
Au début du spectacle, une valise a été abandonnée près du banc T.V.

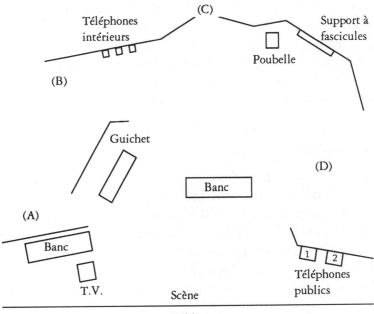

CHANSON-THÈME

J'chus plugué, j'chus plugué sur quequ'chose qui tue

Comme tout l'monde
Comme tout l'monde
Comme tout l'monde dans rue

Le monde est fou
Le monde est pauvre
Le monde est mou
Le monde se sauve

J'ai pas d'argent, pas d'argent pour prendre le train
Pas d'mitaines, pas d'mitaines pour mettre dans mes
mains
J'ai des dettes jusqu'à fin d'mes jours
Dans mon cœur, y fa frette, y fa frette toujours
La vie éclate à chaque seconde
On a mille raisons d'être déprimés

REFRAIN

Rendez-nous la paix des îles
Les merveilleux couchers d'soleil
Les temps sont fous, sont difficiles
Les rêves sont flous, y'a pus d'sommeil
Laissez-nous bercer par la chance
La chance de r'trouver nos idées
Nos valises en mal de partance
En partance pour l'éternité

J'ai jamais, jamais vu
Les États-Unis
Ni Honolulu
Ni les Îles Fidji

Ça prend d'l'argent pour faire un monde
Ça prend pas d'temps pour le massacrer
La vie éclate à chaque seconde
On a mille raisons d'être déprimés

REFRAIN

ACTE UN

Préambule

Noir. On entend un appel: «Chicoutimi — Jonquière — Kénogami, porte numéro dix, Chicoutimi — Jonquière — Kénogami, gate number ten.» La chanson commence. (Durant toute la scène, on n'entend que la chanson sur bande. L'action est sans dialogue et mimée jusqu'à l'entrée du nouveau marié.)

C'est le début de la journée. Fred est à son guichet. Une vieille quêteuse entre par (B), se dirige vers Fred et attend. Fred tire vingt-cinq cents de sa poche et lui donne. Elle le remercie et sort en (C) pendant qu'un soldat entre par (D). Il vient acheter un billet au comptoir. Il sort un billet de banque, le donne à Fred qui lui remet le ticket plus cinq cents de monnaie. Le soldat est surpris que le billet coûte si cher. Fred hausse les épaules. Le soldat sort en (C), découragé par l'inflation.

Sylvie entre par (B) et va prendre la place de Fred qui sort en (A). Un musicien entre par (D) avec un étui à guitare. Il se rend au comptoir et explique à Sylvie qu'il a rendez-vous avec un ami qui a une contrebasse. Il demande à Sylvie si elle l'a vue. (Tout cela se fait par gestes, bien sûr.) Sylvie lui dit que non et elle a un fou rire. Le musicien sort par (D), pendant que Sylvie éclate de rire, à cause de l'allure du musicien. Légaré entre par (B), voit le fou rire de Sylvie, lui demande ce qu'il y a, Sylvie ne peut répondre, elle rit trop et elle sort en (A).

*Légaré rit aussi, veut sortir en (B), mais se cogne à ma-
dame Lemieux qui entrait en disant bonjour à quelqu'un qui est dans la coulisse (B). Les deux s'excusent
puis sortent, madame Lemieux en (C), Légaré en (B).*

*L'exhibitionniste entre par (D) en tenant son imper-
méable fermé. Il traverse la scène, cherchant une victime.
Comme il n'y a personne, il sort en (B).*

*Le «baron» entre par (D) et va au support à fascicules.
Il en prend un et regarde les horaires. Jojo entre par (B)
en criant: «Lettres d'amour! Lettres d'amour à vendre!»
Le «baron» l'appelle, lui achète une lettre et Jojo sort
par (D). Entre un hippie complètement dans les nuages.
Il arrive par (B). Le baron lui donne la lettre d'amour
et sort en (B). Une vieille dame entre par (D) tout en
fouillant dans son sac. Le hippie lui donne la lettre et
sort par (D). La vieille dame sort par (B) et croise notre
exhibitionniste qui entrait. Ayant manqué sa victime, il
vient vers l'avant-scène quand il voit une religieuse qui
arrive par (D) et qui traverse la scène derrière le banc.
Se plantant devant elle, au centre, dos au public, il
ouvre son imperméable dans un geste classique. La religieuse est offusquée. L'exhibitionniste s'apprête à sortir
par (C), la religieuse s'avance au centre, puis, tournant
le dos au public, lui fait le même coup en ouvrant le
haut de sa robe. Satisfaite, elle referme son haut puis
sort en (B), laissant notre ami complètement abasourdi.
Fred entre par (A) et va derrière son comptoir. Il demande à l'exhibitionniste ce qui ne va pas. Celui-ci sort
par (D), sans demander son reste. Entre Christiane la
timide par (B). Elle va vers Fred, lui pointe le micro de
son petit magnétophone. Fred lui demande ce qu'elle
veut. Elle est trop gênée pour répondre et sort rapidement
par (D) pendant que Columba entre par (B) traînant*

soldat par une paire de menottes. Fred voit venir quel-
qu'un par la droite. Columba et le soldat sortent en
(D). Fred se cache derrière son comptoir. La vieille quê-
teuse entre par (D). Elle va au comptoir et attend. Fred,
pensant qu'elle est partie, se relève et arrive face à face
avec elle. Il fait un saut terrible. Elle aussi, puis elle
sort en (B), pendant que le nouveau marié, Paul-
Edmond Gagnon, entre en courant par (D), pour sortir
en (C). Un temps. Il revient sur scène, il panique. Il se
dirige vers Fred, au guichet, pendant que la musique
s'en va en fade out.

REMARQUE 1: Bien sûr, tout ce préambule est mimé, mais on entend des bribes de paroles.

REMARQUE 2: Dans une des versions de la pièce, au lieu d'entendre la chanson sur bande, un musicien de rue la chantait *live* avec sa guitare. Il arrivait au début, ouvrait son étui à guitare qu'il déposait sur le sol devant lui. Il jetait une poignée de pièces de monnaie dedans, pour montrer qu'il était populaire, et chantait durant toute la scène. À la fin, n'ayant rien ramassé, il sortait découragé, alors que Fred lui donnait vingt-cinq cents.

REMARQUE 3: Tout au long de la pièce, on entend souvent des appels pour le différentes destinations et ce, dans les deux langues.

SCÈNE 1

Fred, Paul-Edmond

PAUL-EDMOND

(*Il est essoufflé.*) Pardon monsieur… l'autobus pour Arvida, s'il vous plaît.

FRED

Vous avez l'temps, monsieur! Le prochain part à onze heures, à soir.

PAUL-EDMOND

(*Paniqué.*) Hein? Y n'a pas un autre avant?

FRED

Oui, à neuf heures, mais là, y est neuf heures et quatre.

PAUL-EDMOND

Ça s'peut pas! Ç'a pas d'bon sens, ça!

FRED

(*Lui montre sa montre.*) C'est l'heure de CKAC, moé là!

PAUL-EDMOND

Mais que c'est que j'vas faire, moi?

FRED

Attendre le prochain.

PAUL-EDMOND

(Se retourne vers la sortie du terminus (D).) Sarto!!! Sarto!!!...
Y est parti! Ça s'peut pas! Ç'a pas d'bon sens, ça! J'me
marie à trois heures à Arvida, moi!

FRED

Belle place, ça, Arvida!

PAUL-EDMOND

Ha! Bonyieu! Bonyieu!

FRED

Ben voyons, là, une de perdue, dix de r'trouvées.

PAUL-EDMOND

Le téléphone?... c'est où, ça?

FRED

C'est juste là.

> *On entend un appel: «Granby — Magog — Sherbrooke*
> *— Saint-Georges, porte dix-sept (bis). Gate number se-*
> *venteen.» Paul-Edmond fouille dans ses poches, il n'a*
> *pas de monnaie. Louëlla arrive par (C).*

SCÈNE 2

Fred, Louëlla

LOUËLLA

Taxi! monsieur, Taxi?

PAUL-EDMOND

Non, non! (*Il sort en (D).*)

FRED

Bonjour, Louëlla! Aïe! C't'un beau temps pour étendre!

LOUËLLA

Tabarnak! Y fait-tu assez frette. Aïe! Tu sais pas quoi, Fred, ça s'peut que j'lâche le taxi! C'est rendu, l'monde est trop capoté pour moé! J'en embarque un hier soir, y m'dit à moé: «Ça t'tente-tu de tirer une p'tite ligne?» Me suis dit en dedans de moi-même: «Y'est fou, christ! Entécas, si y veut aller à pêche avec moé, c'est pas dans ma ligne pantoute!» Ben non, c'pas ça pantoute! Le type en question, y voulait que j'y achète d'la cocaïne! Heye, j'y ai dit en crisse: «Au prix où c'qui est la farine, chus même pas capable de me faire une tarte!»

FRED

Cré Louëlla, vous allez vivre vieille, vous, vous êtes trop drôle!

LOUËLLA

M'a dire comme on dit, Fred: «Entre deux jokes, si t'as
l'temps d'mourir, ça veut dire qu'la farce était platte!»
Salut mon Fred, pis fait attention à toé. (*Elle s'apprête à
sortir, se ravise.*)

FRED

Salut Louëlla!

LOUËLLA

Ha! j'oubliais, j'ai quequ'chose pour toé. Ho! C'est pas
grand-chose, me suis dit: «C'est sa fête! J'vas y donner un
cadeau!» (*Elle lui donne une petite boîte, qu'il ouvre.*)

FRED

Pas des carrés au fudge!

LOUËLLA

J'ai mis des amandes dedans! J'savais que t'aimais ça!

FRED

J'vas aller le mettre dans mon locker.

LOUËLLA

Tu penseras à moi en te sucrant l'bec!

FRED

Salut Louëlla! (*Fred sort en (A).*)

LOUËLLA

(*Le regarde sortir.*) Torna! Qu'y est beau! (*Elle sort en (C).*)

SCÈNE 3

Eugène Sauli

Entre Eugène Sauli par (B). Il a une valise exactement pareille à celle qui est déjà sur scène, un journal sous le bras et une boîte à lunch à la main. Il a l'air perdu, il regarde partout et se dirige en avant du banc où il échappe son journal par terre sans s'en rendre compte. Il se dirige vers le banc T.V., il dépose sa valise juste à côté de l'autre, s'assoit, ouvre sa boîte à lunch. Comme il s'apprête à y prendre quelque chose, il aperçoit le journal; il referme sa boîte à lunch, se dirige vers le journal, le ramasse, cherche des yeux une poubelle, l'aperçoit près de la porte (C) et se dirige vers elle. En marchant, il commence à lire les titres du journal; rendu à la poubelle, il y jette distraitement sa boîte à lunch et retourne au banc T.V. avec son journal pour y prendre sa valise. Il en prend une, se retourne pour sortir en (D); rendu au centre, il fait un tour sur lui-même, perdu; il aperçoit l'autre valise et va la chercher aussi; il veut maintenant sortir, se dirige vers (D) en regardant les panneaux indicateurs; il fait le tour du banc, revient vers (B), repasse devant le guichet, pour se retrouver distraitement à son point de départ. Sans s'en rendre compte, il refait le même manège une autre fois, puis une autre; rendu au troisième tour, il se rend compte que quelque chose ne va pas. Ayant fait deux tours et demi, il se retrouve devant

*la porte (C), derrière le banc. Un temps. Il regarde au-
tour puis voit la sortie (D). Il pousse un soupir de satis-
faction et sort en (D). Un temps. Il revient sur scène
comme s'il s'était trompé et traverse la scène pour enfin
sortir en (B), toujours avec son journal et ses deux valises.*

SCÈNE 4

Paul-Edmond, le rockeur, Marie Lemieux

Paul-Edmond entre par (D) et va vers le premier télé-phone public, compose le 0.

PAUL-EDMOND

Allô, mad'moiselle? J'voudrais faire un longue distance à Arvida, s'il vous plaît, à monsieur Odias Fortin, au numéro 548-88... ... 548-88... Ben voyons, c'est-tu bête, là, bon un instant, j'ai ça pas loin là. (*Il sort un papier de sa valise et le lit.*) C'est 88 quequ'chose, là! Bon, allô, c'est 8808... C'est Paul-Edmond Gagnon... non Edmond, c'est Paul-Edmond Gagnon. Combien? ... Deux piastres et demie ... OK! (*Il met de la monnaie dans le téléphone.*) Merci... Allô?... Madame Fortin, c'est Paul-Edmond... Paul-Edmond... Paul-Edmond Gagnon, vot' futur gendre!... Oui... c'est le grand jour... Oui... Enfin, quoi... Hein? ... Nerveux? ... Ah, oui... Chus nerveux... Ça va être une belle cérémonie, hein... Ah oui! j'vous crois, oui! (*Il n'arrive pas à l'arrêter de parler.*) Ça coûte cher!... Ah non! on le r'grettera pas non... si j'm'en viens? Oui, justement, à propos d'ça, j'pourrais-tu parler à Johanne?... Non?... Comment non?... Comment ça, ça porte malheur??? ... Passez-moé-la, s'il vous plaît, c'est important... Non, j'ai pas eu d'ac-cident... Non, passez-moé-la, s'il vous plaît, c'est grave. (*Un temps.*) Bon merci... Johanne?... C'est Paul-

Edmond... Paul-Edmond!... Non, non j'ai pas eu d'accident... j'ai manqué l'autobus... Ben l'autobus de neuf
heures, je l'ai manqué, j'pourrai pas être à l'église à trois
heures... parce que l'char à Sarto partait pas; y'é venu me
r'conduire en r'tard... Prends l'avion, prends l'avion, c'est
toé qui as l'argent!... Non, Johanne... Non, non, pleure
pas, non, non... pardon?... un autre piastre?... (*Il fouille
dans ses poches.*) ... J'ai pus d'monnaie, là!... (*Au téléphone.*)
Johanne?... Bon arrête de pleurer, là... Un instant, s'il
vous plaît mademoiselle... Johanne rappelle-moé à 936-
3636... Non, 3636, à Montréal. (*Il pleure.*) OK, correct.
(*La ligne est coupée.*) Ça va mal, crisse que ça va mal!

> *Arrive un rockeur qui se dirige vers le premier téléphone.*

PAUL-EDMOND

Pardon, monsieur, ça vous f'rait-tu rien de prendre l'autre
parce que j'attends un téléphone bien important sur celui-là...

LE ROCKEUR

Un breuvage avec ça!

PAUL-EDMOND

Pardon?

LE ROCKEUR

J'ai dit: un breuvage avec ça?

PAUL-EDMOND

Non! non!

LE ROCKEUR

T'es aussi ben! (*Il compose.*) Allô, Ti-coune! C'est moé.
Chus au terminus... Ben oui!... Ben non!... Non, à gare
d'autobus! Non, écoute, attends minute! Viens icitte, toé!

(*Il attrape Paul-Edmond par le collet.*) Dis-y donc que chus au terminus, a m'croé pas, hestie! (*Il donne le récepteur à Paul-Edmond.*)

PAUL-EDMOND

Ti-coune?... Y est au terminus, là, c'est vrai!

LE ROCKEUR

(*Lui arrachant le récepteur.*) Bon, tu vois!... Écoute, Ti-coune... (*Voyant Paul-Edmond qui lui demande de se dépêcher.*) Aïe, man, tiens, va donc t'acheter un chips en attendant! (*Il lui donne un dollar.*)

> *Paul-Edmond s'en va un peu plus loin et se heurte à une petite fille qui tenait un cornet de crème glacée, qui est entrée par (B). C'est la catastrophe.*

MARIE LEMIEUX

Ça va mal, clisse que ça va mal!

> *Paul-Edmond est découragé, il a de la crème glacée plein son veston. La petite fille est au bord des larmes. En désespoir de cause, Paul-Edmond lui refile le dollar du rockeur et sort en (D) pour aller se nettoyer. Pendant ce temps-là, le rockeur a fini et s'en est allé.*

SCÈNE 5

Marie Lemieux, Fred

Fred est arrivé à son comptoir. Marie s'y dirige.

MARIE

Un billet, s'il vous plaît.

FRED

Où est-ce que tu veux aller?

MARIE

Aller-retour!

FRED

Pour où?

MARIE

Hein?

FRED

Aller-retour pour où?

MARIE

Ben... euh... mmm... Hein?

FRED

Y a-tu une place que tu veux aller?

MARIE

Dans l'autobus, j'aime ça aller dans l'autobus.

FRED

T'aimes ça?

MARIE

Oui, j'regarde par la fenêtre!

FRED

Pis ta maman, elle?

MARIE

Est pas dans l'autobus, maman!

FRED

Ah! Ça, j'pense pas, non. Est pas avec toi?

MARIE

Non!

FRED

(*Il se dirige vers elle.*) Bon! Ben écoute, tu vas me dire ton nom pis le monsieur va appeler ta maman avec sa boule magique! (*Il lui prend la main, celle qui est pleine de crème glacée. Réactions.*)

MARIE

J'm'appelle Marie.

FRED

Marie qui?

MARIE

Marie Lemieux... Aïe, monsieur, tu vas-tu m'emmener dans l'autobus?

FRED

Oui, aussitôt qu'le monsieur va avoir appelé ta maman, j'vas aller t'en montrer un gros autobus, O.K.?

MARIE

C'est l'fun. (*Elle sort en (A).*)

FRED

Ah! c'est ben l'fun. (*Fred prend son micro.*) Madame Lemieux, on a votre petite fille Marie au guichet numéro un. Madame Lemieux. Vot' petite fille Marie. (*On entend le volume du son qui monte et descend et Fred se rue vers la sortie (A).*) Non! Non! Marie, touche pas à ça! (*Fred revient à son guichet. On entend un appel d'autobus: «Louiseville — Cap-de-la-Madeleine — Trois-Rivières — Québec porte numéro quinze (bis). Gate number fifteen.»*)

SCÈNE 6

Fred, Jacqueline, Louëlla, Marie Lemieux, le garde, le clochard, la vieille dame

Jacqueline entre par (C). Elle vient visiblement de se réveiller. Elle va au guichet.

JACQUELINE
Pardon, monsieur, le Château Frontenac, c'est-tu loin?

FRED
Pardon?

JACQUELINE
Le Château Frontenac, ça se fait-tu à pied d'ici?

FRED
Oui, si vous êtes pas pressée. Vous seriez mieux de prendre le bus pour Québec. Ça va vous en faire moins à marcher.

JACQUELINE
Hey?

FRED
Prenez l'bus pour Québec, quai numéro dix.

JACQUELINE
(Ne comprend pas.) ???

FRED

Québec… le bus… quai numéro dix.

JACQUELINE

(*Elle rit.*)

FRED

Le Château Frontenac, c'est à Québec!

JACQUELINE

Je l'sais!

FRED

Ben là, vous êtes à Montréal!

JACQUELINE

Quoi???

FRED

Vous êtes à Montréal.

JACQUELINE

Ben non, chus à Québec!

FRED

(*Excédé.*) Mademoiselle, ici, vous êtes à Montréal!

JACQUELINE

Qu'est-ce que j'fais ici?

FRED

Où c'est qu'vous voulez être?

JACQUELINE

À Québec!

FRED

Ben là, vous êtes à Montréal… D'où vous v'nez?

JACQUELINE

De Trois-Rivières. J'ai pris l'autobus pour Québec.

FRED

Ben là, vous êtes à Montréal.

JACQUELINE

Ben oui, mais comment ça s'fait?

FRED

Vous avez dû prendre l'mauvais bus.

JACQUELINE

Ben non, c'était marqué sus l'autobus: «Québec»!

FRED

Ah ben, là, j'sais pas...

JACQUELINE

Non, non c'tait marqué: «Québec».

FRED

Ah! Ça doit être parce qu'y a oublié d'tourner la... vous savez la... euh... (*Il fait le geste du chauffeur qui fait tourner le tambour sur lequel sont inscrites les destinations sur le devant de l'autobus.*)

JACQUELINE

???

FRED

Oui la... (*Il refait le geste.*) ... Où c'est qui sont marqués les noms des villes. Fait que c'tait marqué «Québec», mais y s'en v'nait à Montréal.

JACQUELINE

Ça, c'est vot' erreur... Payez-moi un billet pour Québec.

FRED

Ah ben là, on peut pas faire ça ici!

JACQUELINE

Y'aurait pu me l'dire, j'l'aurais tournée, moi, la... euh. (*Elle refait le geste.*)

FRED

Demandez un remboursement au commis.

JACQUELINE

Merci! (*Elle se dirige vers la sortie (C).*) Où ça?

FRED

À Trois-Rivières.

JACQUELINE

Hein?

FRED

Quai numéro treize... l'autobus qu'y est marqué: «Montréal».

Entre Louëlla par (D).

LOUËLLA

Taxi, mademoiselle?

JACQUELINE

Non, merci! (*Elle sort en (C).*)

Marie entre par (A) et lance une casquette de chauffeur à Fred.

MARIE

Monsieur, monsieur...

FRED

Marie! Veux-tu...

> *Marie sort par (A). Fred sort à la suite de Marie pendant qu'à la sortie (B) arrive un garde de sécurité; il traverse la scène au fond. Il ne voit pas Louëlla qui s'est approchée du guichet. Elle se retourne et l'aperçoit.*

LOUËLLA

Boujour Sherlock Holmes!

LE GARDE

Ah! Salut Louëlla.

LOUËLLA

Hey, c'est glissant à matin, toé?

LE GARDE

Tu me l'dis, toé!

LOUËLLA

J'ai des quatre saisons mais j'marche sua fesse, moé là.

LE GARDE

Ouaih! Ouaih! Moi-même je vire dessoure, pis j'ai même pas de char!

LOUËLLA

Hey Rolland, je voulais te voir, j'ai quelque chose pour toé: *Pavarotti chante O sole mio. (Elle lui tend une cassette.)*

LE GARDE

Hey ça doit être bon ça?

LOUËLLA

Ah, c'est beau ça, ça se dit pas!

LE GARDE

Ben moi j'vas te passer *The Ballroom orchesta avec Fernand Gignac.*

LOUËLLA

J'connais pas ça.

LE GARDE

C'est pas mal bon... Ma femme aime ben ça...

LOUËLLA

J'vas aller écouter ça dans mon taxi. *(Elle se dirige vers (B).)*

LE GARDE

Ben c'est ça, salut Louëlla!

LOUËLLA

(Elle s'arrête.) Dis donc, l'avez-vous trouvé votre fou?

LE GARDE

Non, pas encore! Ça fait une semaine que je le cherche! Mais casse-toé pas la chaîne du nez, j'vas l'trouver!

LOUËLLA

Bonne chance, maestro! *(Elle sort en (B).)*

> *Le garde se dirige vers les téléphones publics à l'avant. Un clochard arrive derrière lui, par la porte (C).*

LE GARDE

J'vas le trouver, l'enfant de chique!

> *Il se retourne vers le fond. Le clochard tourne le dos au garde. Le garde le regarde puis se retourne vers le public; pendant ce temps, le clochard sort par (C) et la vieille*

dame à la sacoche entre par (C) en fouillant dans son sac à main. Le garde se rend compte qu'il a vu quelqu'un, sort son revolver pour arrêter le clochard, se retourne vivement en pointant son arme et se retrouve devant la vieille dame. Il ne comprend plus rien. La vieille dame a un haut-le-corps. Le garde, ahuri, sort en (D).

Le clochard, la vieille dame, le garde, Sylvie.

La vieille dame va s'asseoir sur un des deux bancs T.V. En toussant à rendre l'âme elle essaie de s'allumer une cigarette. Le clochard revient en (C). Il fouille dans la poubelle et ramasse la boîte à lunch d'Eugène Sauli et la met dans son sac. Il va aux téléphones publics et trouve une pièce de monnaie dans l'un d'eux. Il se jette littéralement sur la T.V. à péage, à côté de la vieille dame où commence l'émission de Goldorak. Il sort de son manteau un casque de chevalier — jouet avec une épée en caoutchouc. IMPORTANT: au début de la scène, on n'entend que la télévision mais, petit à petit, le clochard, qui connaît par cœur les répliques de Goldorak, finira par s'identifier au personnage.

T.V. MAÎTRE

Goldorak?

T.V. GOLDORAK

Oui, maître! Seigneur de toute la galaxie!

T.V. MAÎTRE

Goldorak, j'ai besoin à nouveau de ta force invincible! La princesse Iruland est prisonnière de Star Shaker sur la planète Astuce IV. Tu dois la délivrer!

Le clochard fait du lip sync *sur la voix de Goldorak.*

T.V. GOLDORAK

Oui, maître. Je saute immédiatement dans mon star bo-lide et je pars à sa recherche.

T.V. MAÎTRE

Sois prudent, Goldorak! Tu sais que tu risques ta vie en-core une fois!

T.V. GOLDORAK

Oui, maître. Mais pour la princesse Iruland, ma bien-aimée, je suis prêt à braver tous les monstres de la ga-laxie! Adieu! (*Bruit de fusée qui décolle.*)

T.V. GOLDORAK

Cimonac!

T.V. ROBOT

Oui, Goldorak, mon maître!

C'est maintenant le clochard qui parle à la place de Goldorak. La vieille dame catastrophée le regarde.

LE CLOCHARD

Cimonac, mon fidèle robot, dis-moi quelle est notre posi-tion?

T.V. ROBOT

Dans la galaxie 12 001, à deux années-lumières de Astuce IV.

Le clochard se lève et veut partir à l'attaque.

Le CLOCHARD

Parfait, Cimonac! Nous allons les prendre par surprise. Branche-moi sur le transmetteur télépathique, je veux parler à ma douce aimée.

T.V. ROBOT

Tout d'suite, maître.

Le CLOCHARD

Iruland! Iruland! Ma perle de quasar! M'entends-tu?

T.V. IRULAND

C'est toi, Goldorak, mon bien-aimé? Oh, je t'aime! Au secours!

Le clochard regarde la vieille dame et la confond avec la princesse Iruland.

Le CLOCHARD

J'arrive, Iruland, j'arrive! Je te sauverai! Ha! Star Shaker, tu n'auras jamais le dernier mot avec Goldorak!

Le clochard se jette sur la vieille dame. Il la prend dans ses bras. Elle est au bord de l'apoplexie quand arrive le garde, revolver au poing. La T.V. s'est arrêtée.

Le GARDE

Enfin, j'te tiens, mon tabaslak! Envoye, lâche-la, lâche-la, l'fou! Sans ça, j'réponds pus de moé!

Le CLOCHARD

Te voilà enfin, Star Shaker!

LE GARDE

Non, Francœur, Roland Francœur, mon nom, pis tu m'fais pas peur, chus «Phillips» icitte, moé! Envoye, sors! Sors ben tranquillement!

> *Le clochard laisse tomber la vieille dame et sort par (B) en reculant devant le garde.*

LE GARDE

Sors tranquillement! Sors...

> *Le clochard est en coulisse. On voit toujours le garde, le revolver pointé sur lui. Sylvie, intriguée, entre par (A).*

LE CLOCHARD

(*De la coulisse.*) C'est pas de ma faute si j'ai pas de T.V. chez nous, moé!

> *Le garde sort lentement par (B), toujours pointant son revolver. Sa voix se perd en coulisse.*

LE GARDE

Ben tu l'écouteras pus icitte la T.V., tabaslak. Pis essaye-toé pus à l'aéroport de Dorval, y ont ta photo eux autres avec! Envoye! sors, sors. M'a t'en faire, moé, un Goldorak! Sors, cimonac! Sors, ch't'ai dit d'sortir, tranquillement, attention, sors!

> *Sur la dernière phrase, Légaré est entré par (C). Il regarde l'action.*

SCÈNE 8

Sylvie, Légaré, Gervais

LÉGARÉ

Qu'est c'est qu'y est arrivé?

La vieille dame, toujours par terre, pousse un râle et sort en (D).

SYLVIE

Y viennent d'arrêter Goldorak! *(Elle retourne à son comptoir.)* Pis, monsieur Légaré! L'avez-vous eu votre rendez-vous avec monsieur Gervais?

LÉGARÉ

Non, non, par rapport qu'y est pas trouvable!

SYLVIE

Ben, restez pas loin, y est toujours collé sus moi!

LÉGARÉ

Y a encore un œil sus toi?

SYLVIE

Oui, pis j'vous dit qu'y a la main plus vite que l'œil!

LÉGARÉ

C't'un bel écœurant!

SYLVIE

Y est écœurant, mais y est juste!

LÉGARÉ

???

SYLVIE

Y est écœurant avec tout l'monde!

Légaré rit.

LÉGARÉ

Sérieusement, Sylvie, si jamais tu l'vois, dis-y donc que j'l'cherche, par rapport au rapport en rapport avec mon accident.

SYLVIE

Oui, j'y dis ça, monsieur Légaré.

Gervais arrive par (D).

LÉGARÉ

Monsieur Gervais!

GERVAIS

Légaré! Justement, j'voulais t'voir. Comment ça va?

LÉGARÉ

Je r'monte la côte.

GERVAIS

Bon good! Good! J'ai des bonnes nouvelles, Légaré! Des bien bonnes nouvelles!

LÉGARÉ

Par rapport au rapport?

GERVAIS

En rapport avec ton accident sur le Montréal — Gaspé.
L'enquête vient de laver la compagnie de tout soupçon!
Le set de brake y était neuf, ç'a été prouvé. Pis comme y a
pas eu d'morts, y ont conclu à la défaillance humaine!

LÉGARÉ

Ouais!...

GERVAIS

Ça nous enlève une belle épine du pied! toé ça! Hein?

LÉGARÉ

Ça doit!

GERVAIS

En parlant d'épine, as-tu reçu mes roses à l'hôpital?

LÉGARÉ

Oui! Merci, monsieur Gervais.

GERVAIS

Fait plaisir, Alphonse, fait plaisir!...

LÉGARÉ

Pis avez-vous une idée de quand est-ce que je recommence à chauffer?

GERVAIS

Justement... c'est de ça dont y s'agit Alphonse... euh...
Tu vas ben comprendre qu'avec c'qui est arrivé... tu dois
être encore un p'tit peu nerveux? Hein?

LÉGARÉ

Non!

GERVAIS

Ouan! Justement, ça fait que... on a pensé te donner une p'tite job pas trop forçante... Rouleau prend sa retraite dans deux semaines, aux objets perdus, ça fait que...

LÉGARÉ

La tablette?

GERVAIS

Hein?

LÉGARÉ

Vous me mettez sur la tablette? Ç'a pas d'bon sens! Mais vous savez bien que c'est pas moi qui est en tort?

GERVAIS

Je l'sais, Alphonse. J'l'sais... Si c'tait rien que de moi... Mais c'est le head office. Que c'est qu'tu veux? La défaillance humaine, y l'ont pas pris. C'est public, ces affaires-là!... J'ai failli recevoir des plaintes, moi! T'admettras qui sont pas cochons, y te mettent pas dehors!

SYLVIE

Ça fait cher la tablette!

GERVAIS

Bon, ben!... Tu commences lundi, Alphonse! Prends donc ta fin d'semaine pour te r'poser un p'tit peu! O.K.? Good! Good!

> *Il passe derrière Sylvie qui se retourne brusquement en frappant le comptoir. Gervais reste saisi et sort en (A).*

SYLVIE

Ben ç'a pas d'bon sens, ça, monsieur Légaré!

LÉGARÉ

T'as raison, Sylvie, ça restera pas d'même! J'vas aller y parler, moi! (*Il crie en sortant par (A).*) Monsieur Gervais!

SCÈNE 9

Eugène Sauli, Sylvie

Eugène Sauli entre par (C). Il n'a plus ni valise ni boîte à lunch, que son vieux journal. Il s'approche gentiment du guichet où Sylvie le regarde, intriguée.

EUGÈNE

Pardon, mademoiselle! Est-ce que je suis au terminus d'autobus?

SYLVIE

J'serais bien malhonnête de vous dire le contraire, monsieur.

EUGÈNE

Jusqu'à quelle heure on peut attendre quelqu'un ici?

SYLVIE

On attend toujours, monsieur.

EUGÈNE

Est-ce que ça arrive que quelqu'un arrive?

SYLVIE

D'habitude, ceux qui arrivent, y repartent tu-suite!

EUGÈNE

Y a pas de place pour rester?

SYLVIE

Un coup qu'y sont arrivés, le monde repartent où est-ce qu'y restent!

EUGÈNE

Est-ce que tout l'monde reste à quelque part?

SYLVIE

Ceux qui restent nulle part, y restent pas longtemps!

Eugène acquiesce et va s'asseoir au banc T.V.

EUGÈNE

(*Un temps.*) J'arrive de Saint-Édouard, moi. J'attends mon cousin… Eddy… y va me conduire au cimetière!

SYLVIE

(*Compatissante.*) Ah! Vous avez quelqu'un qui est parti?

EUGÈNE

Ma femme… Ma femme a reste au cimetière!

SYLVIE

(*Voulant le distraire mais maladroitement.*) Au moins, vous êtes sûr qu'a partira pas! (*Elle rit mais se rend vite compte de sa gaffe.*)

Eugène n'en fait pas de cas, toujours distrait. Il se lève et revient au comptoir où il dépose son journal.

EUGÈNE

Ah! J'aurais faim, moi, j'ai perdu mon lunch! Vous auriez pas de la monnaie? Je m'achèterais un sandwich.

SYLVIE

Pour combien en voulez-vous, monsieur?

EUGÈNE

Euh... une piasse, une piasse et quart. (*Il fouille dans ses poches en vain. Il regarde Sylvie.*)

SYLVIE

(*Très affable.*) Avez-vous perdu d'quoi?

EUGÈNE

Mon porte-monnaie, j'ai perdu mon porte-monnaie! (*Il s'avance au centre Sylvie vient le rejoindre.*)

SYLVIE

Où est-ce que vous étiez?

EUGÈNE

Au terminus.

SYLVIE

(*Elle se met à chercher autour.*) Vous savez, les porte-monnaie, c'pas comme nous aut', ça reste pas tout seul longtemps!

EUGÈNE

Y était pas tout seul!

SYLVIE

Ah non?

EUGÈNE

Non, ma valise était avec lui. J'espère qu'y sont encore sur le quai! (*Il veut sortir par (A).*)

SYLVIE

Par ici, monsieur!

EUGÈNE

Hein?

SYLVIE

La sortie… c'est par ici! (*Elle lui indique la sortie (C) par où il sort.*) Oh, monsieur, votre journal… Votre journal!

Trop tard, il est parti.

SCÈNE 10

Sylvie, Eddy «Éros» Sauli, l'initié

Sylvie est à la porte (C) lorsqu'entre Eddy «Éros» Sauli par (B) et va au comptoir. Il frappe dessus pour attirer l'attention. Sylvie le voit et revient au guichet.

SYLVIE

Excusez-moi!

EDDY

Bonjour! euh… C'est pas chaud pour la douille!

SYLVIE

Ça dépend d'la douille!

Ça lui en bouche un coin.

EDDY

Ouais!… Dites-moi donc, vous auriez pas vu une valise verte par hasard? J'l'ai oubliée icitte tout à l'heure.

Sylvie prend une formule qu'elle va remplir.

SYLVIE

Ça se peut! Qu'est-ce qui avait dedans?

EDDY

(*Gêné.*) Qu'est-ce qui avait dedans?

SYLVIE

Ouais!

EDDY

(*Ton confidentiel.*) Y avait des gadgets cochons!

SYLVIE

Pardon?

EDDY

Des gadgets cochons!... C'est pas pour moé, non! Eddy Sauli (*Lui tendant sa carte:*) Erotica International!

SYLVIE

Quel genre de produits, monsieur?

Sylvie note.

EDDY

Euh... Y avait des vibrateurs: y en avait un small; deux médiums; y en avait un king size électronique avec programme interchangeable, piles non incluses. Y avait des p'tites culottes mangeables; c'est nouveau, ça vient d'sortir! Y en avait deux aux fraises, deux à l'ananas... une érable et noix... Ça presserait, c'est périssable!

SYLVIE

J'ai pas vu ça, monsieur.

EDDY

T'as jamais vu ça!!?

SYLVIE

J'ai pas besoin de ça!

EDDY

Mais, tu serais surprise de savoir c'qu'on peut faire avec ça!

SYLVIE

Chus déjà ben assez surprise de voir c'que j'peux faire sans ça!

> *Elle sort en (A), laissant Eddy «Éros» Sauli bouche bée. On voit un individu qui entre par (D), habillé d'un sac vert et d'un soutien-gorge.*

L'INITIÉ

Pardon, monsieur! Vous auriez pas vu un groupe de sacs verts de l'Université de Montréal, y étaient tous ensemble pis y criaient: «Si vous voulez qu'on soye docteurs, soyez patients!»

EDDY

Des sacs verts? Y en mettent dans les poubelles, mais d'-habitude y parlent pas!

> *Eddy sort par (D).*

L'INITIÉ

Attends l'année prochaine, la première année, y vont passer au cash!

> *L'initié sort par (C).*

SCÈNE 11

Columba, l'exhibitionniste

Columba entre par (C), et l'exhibitionniste par (B). Ils s'arrêtent au centre. Dos au public, il ouvre son imper devant Columba. Elle la regarde et lui met les menottes.

COLUMBA

Lieutenant Columba, Brigade antisexiste!

L'EXHIBITIONNISTE

C'est pas moé, j'ai pas fait exprès! J'étais pas là! J'ai rien vu!

COLUMBA

Ça t'apprendra à te sortir le moineau en public! Pis compte-toé chanceux que ça soit autour du poignet que je te passe la menotte, toé!

Ils sortent en (D).

SCÈNE 12

Christiane, le hippie, Adèle St-Zotique

On entend: «LaMalbaie — Pointe-Au-Pic — Baie-Comeau, porte numéro cinq, gate number five.» Christiane, la timide, entre discrètement par (B). Elle se dirige vers le banc T.V., s'assoit, met son magnétophone en marche et marmonne très faiblement dans son micro.

CHRISTIANE

Les mécanismes de la timidité dans les communications interpersonnelles. Thèse de maîtrise de Christiane Marchand. Département de psychologie de l'Université du Québec à Montréal, interview numéro un. (*Elle rembobine la cassette et elle écoute. Elle n'entend rien.*) Ah non! Y vont encore dire que je parle pas assez fort! (*Elle recommence avec une voix un peu plus forte.*) Les mécanismes de la timidité dans les communications interpersonnelles. Thèse de maîtrise de Christiane Marchand. Département de psychologie, Université du Québec à Montréal, interview numéro un. Bon, y m'reste plus rien qu'à prendre mon micro à deux mains pis d'y aller. J'haïs ça, les travaux pratiques! (*Elle va se placer en plein centre de la scène et attend avec son micro. Arrive le hippie qui passe devant elle. Au moment où il passe, elle lui parle avec une voix tellement faible qu'on pourrait croire qu'elle est* pusher. *Ce que croit le hippie d'ailleurs.*) Je fais un interview pour un travail sur les mécanismes de la timidité dans les communications interpersonnelles; est-ce que je pourrais vous poser des questions?

LE HIPPIE

Non merci! J'en prends pus.

Il sort par (B), laissant Christiane en plan. Adèle St-Zotique arrive par (D). Christiane, dans un geste fou, se plante devant elle et lui met le micro devant la bouche. Un temps. Les deux sont étonnées.

ADÈLE

Qu'est-ce qui arrive avec toé? Non, mais j'veux dire, tu m'parles-tu, là?

Prise au dépourvu, Christiane se met le micro devant la bouche et chante.

CHRISTIANE

… Euh… «Plaisir d'amour ne dure qu'un moment.»

Elle sort par (B) et croise le garde qui entrait en faisant sa ronde. Il la regarde d'un œil soupçonneux.

SCÈNE 13

Adèle St-Zotique, le garde

Adèle est derrière le banc. Le garde s'est avancé devant la scène près du guichet.

ADÈLE

Aïe, aïe, tsss, tsss, donne-moé trente sous, j'vas te donner un bec! Donne-moé trente sous, j'vas te donner un bec!

Adèle se sauve par la sortie (B). Le garde se détourne et fonce vers la porte (C). Il l'ouvre et regarde dehors. Adèle revient par (B).

ADÈLE

Donne-moé un bec, j'vas te donner trente sous!

Le garde, nerveux, sort son revolver et voit que c'est Adèle.

LE GARDE

Adèle St-Zotique, fais-moi pas des peurs de même à matin-toi!

ADÈLE

Une chance qu'y a une couple de punks qui m'trouvent comique, crime!

LE GARDE

Coudon, connais-tu ça un dénommé Goldorak?

ADÈLE

Goldorak? Non, mais j'ai connu un Batman, y était gogo-boy sur la rue Sainte-Catherine.

LE GARDE

Ah! pis où c'est qui t'envoyent danser c'te semaine?

ADÈLE

Au motel Carol à Québec*! Aïe, m'as t'dire rien qu'une affaire: tout' nue avec une plume dans l'cul, je ferais pas une cenne de plusse! Non mais criffe! C'est les gogo-boys qui font le bacon dans les clubs astheure, stie!

LE GARDE

Ben voyons, Adèle! Avec les yeux que t'as là, tu dois pas te bercer le soir, certain!

ADÈLE

Je te l'jure, à moins là, à moins de faire un strip avec la banane en plastique, la carpette à poil, le chiwawa pis une cerise sus l'sundae, y a pus une criffe de cenne à faire avec ça! M'as t'dire rien qu'une affaire, O.K.: si le body de la femme rapporte pus, ça m'surprendrait pas qu'y ait une guerre nucléaire qui s'en vient, criffe!

LE GARDE

Lâche-moé avec la guerre à matin, toé! J'ai assez de misère à me battre pour une augmentation de salaire, j'vois pas ce que j'irais faire devant une bombe nucléaire! Ah non, tout ce qui pète, ça me fait peur!

---

*Remarque: Dans chaque ville où le spectacle a été joué en tournée, le nom du sex-club local était mentionné, au grand plaisir des spectateurs.

ADÈLE

Aïe, c'est pas que j'chus pour ça, j'chus pas pour la guerre, c'est pas ça que je te dis, là! Mais criffe, moé, je trouve que ça remettrait les gars à leur place, pis moé je pourrais partir un club pour les désespérés. J'appellerais ça: «Hiroshima, mon amour».

LE GARDE

Tu devrais monter à la Baie-James!

ADÈLE

Lâche-moé, toé! Si t'es rendu dans l'Grand Nord ou ben à Sept-Îles ou ben à Caraquet, là, j'dis pas! Y a une couple de piasses à faire avec ça! Mais même à ça, criffe, les Indiennes pognent plus que nous autres! D'abord, y coûtent moins cher, pis... j'sais pas, les gars pensent p'têt' qu'y ont de la plume naturelle dans l'gazou!

LE GARDE

(*Il rit.*) Dans l'gazou, dans l'gazou! Ah! Comme dit souvent le sergent Lachance: «L'herbe est toujours plus verte sus l'gazou du voisin.»

ADÈLE

À part de ça, les places où ça paye, c'est rendu qu'y faut avoir des diplômes en acrobatie, criffe! Faut que tu danses debout sur la table, la tête en bas, les genoux dans l'nez. Ben moé, y m'auront pas là-dessus certain, criffe! J'ai toujours eu assez de guts pour les regarder dans les yeux! Y me feront pas danser la tête en bas! Pis la prochaine fois que je fais un strip sur un stage, m'as me mettre une robe en miroir, comme ça, minque les gars me regardent, ce qui vont voir, c'est ce que moi je vois. (*Elle pleure.*) Pis ça... c'est heavy en criffe.

LE GARDE

Braille pas, Adèle!

ADÈLE

J'braille pas, j'ai l'rhume! (*Elle sort.*)

LE GARDE

Attends! J'vas aller te reconduire! On sait jamais!

Ils sortent en (C).

SCÈNE 14

Paul-Edmond

Entre par (D).

PAUL-EDMOND

(*Il marche de long en large.*) Mais que c'est qu'a fait? Que c'est qu'a fait qu'elle appelle pas? (*Il lit ce qui est écrit sur l'appareil.*) «Cet appareil ne reçoit pas d'appels.» Bonyieu de bonyieu! (*Il signale 0.*) Allô, mademoiselle? Je voudrais faire un longue distance à Arvida, s'il vous plaît... à frais virés... au numéro 548-8808... Paul-Edmond Gagnon... non Edmond, Paul-Edmond Gagnon... Merci. (*Un temps.*) Accepte les frais, Johanne... Johanne!... Tu pourras pas me parler si t'acceptes pas les frais... arrête de pleurer... Monsieur Fortin?... Bon, écoutez... A vous d'mande d'accepter les frais... c'est Johanne qui a l'argent... (*Un temps.*) Bon... Merci... Merci... Ah non! Pensez-pas ça de moi, monsieur Fortin... Oui, je l'sais... Oui... Mais je pense qu'y faut pas que vous vous fâchiez comme ça... oui... y a sûrement une solution... Merci... Johanne?... Bon, écoute, j'ai pensé qu'on pouvait peut-être remettre ça à samedi prochain, hein?... Non, j'me cherche pas de défaite! Ben oui, j'veux m'marier... Je t'ai acheté une lettre d'amour!... Ben oui, j't'aime... (*Un temps.*) Je l'sais j'm'haïs!... Bon, monsieur Fortin! Bon, écoutez, on peut pas retarder la cérémonie? Y a un train à trois heures...

neuf heures à soir... Qu'est-ce qu'on va faire avec les cent cinquante invités???... C't'une bonne question!... Bon... hein?... Je suis au terminus, là... J'vous le jure, écoutez. (*Il tend le récepteur au-dessus de sa tête, on n'entend rien dans le terminus.*) Euh, paniquez pas, là... paniquez pas... j'vas essayer de trouver une solution pis j'vous rappelle après, O.K... Attendez mon téléphone, j'vous rappelle, O.K.? (*Il raccroche.*) Bonyieu de bonyieu! (*Il sort par (D).*)

SCÈNE 15

Jojo, Eugène Sauli, l'homme

Jojo entre par (B), Eugène Sauli par (C), cherchant sa valise et son lunch.

JOJO

Écrivaine publique loue ses services. Poèmes, bêtises, lettres d'amour à votre guise! Achetez mes lettres d'amour, seulement cinquante sous! Une lettre d'amour, monsieur?

EUGÈNE

J'ai perdu mon porte-monnaie, mademoiselle!

JOJO

Voulez-vous une lettre de réclamation, un chèque en blanc,... un chèque pas d'fond?

EUGÈNE

J'aurais faim, j'ai perdu mon lunch.

JOJO

D'habitude, je les vends... j'vais vous en donner une! (*Elle sort par (D).*) Achetez mes lettres d'amour!... Lettres d'amour...

EUGÈNE

Vous êtes ben smatt, mademoiselle, vous êtes ben smatt!

Entre un homme par (C). Il est pressé et enrhumé.

L'HOMME

Pardon, monsieur, avez-vous l'heure s'il vous plaît?

EUGÈNE

Euh... oui...

Eugène lui donne sa montre de poche. L'homme regarde l'heure. Pendant que Sauli regarde vers le comptoir, l'homme tend la montre à Eugène.

L'HOMME

Merci, monsieur!

Eugène, distrait, prend sa montre, regarde l'heure. Comme l'homme veut se diriger vers la sortie (C), Eugène lui crie.

EUGÈNE

Votre montre, monsieur, vous oubliez votre montre!

Eugène redonne sa montre à l'homme et avant que ce dernier ait pu réagir, Sauli est sorti par (B).

L'HOMME

Mais!... Mais!... Monsieur?... Monsieur?

On entend un appel d'autobus: «Ville-Marie — Lorrainville — Témiscaming — North-Bay — Macamic — Duparquet — La Sarre, porte numéro treize, gate number thirteen.» L'homme, pressé, doit s'en aller. Il sort en (C).

SCÈNE 16

Dumont, Bigras, Fred

On voit entrer sur scène madame Dumont par (B). Elle se dirige vers le guichet. Elle marche avec une canne et elle a un appareil auditif. C'est un de ces vieux modèles avec un écouteur dans l'oreille et un fil qui descend jusqu'à une boîte accrochée sur le devant de sa robe. Madame Bigras entre par (D). Elle marche sec, sans canne, un peu atteinte de la maladie de Parkinson. Elle arrive au centre.

BIGRAS
Madame Dumont! Madame Dumont, j'suis là!

DUMONT
Madame Bigras? Bon!

BIGRAS
Pis?

Elles viennent s'asseoir sur le banc.

DUMONT
Ben, y m'ont changée de chambre. C'est plus beau, j'vois toute la rue Jeanne-Mance.

BIGRAS
Bon, y était temps!

DUMONT

Je leur ai fait une grève de pilules. Y ont eu assez peur, ça a pas pris deux jours que je l'avais, ma chambre, j'vous l'dis!

BIGRAS

Vous avez pas été malade, toujours?

DUMONT

Ah non, mais l'docteur y en a fait une jaunisse!

Elles rient.

BIGRAS

Bon! Où c'est qu'on va aujourd'hui?

DUMONT

Ben, je l'sais pas, là.

Bigras fouille dans son sac à main.

BIGRAS

Ah oui! J'ai fait développer les photos qu'on a pris la semaine dernière à Valleyfield.

DUMONT

Pis?

BIGRAS

Ben parlez-moi-z-en pas, y en a une de bonne sur trente-six, pis c't'une photo du chauffeur! J'étais assez en maudit! On n'ira pus jamais à Valleyfield.

DUMONT

De toute façon, c'était pas ben beau! À part le centre d'achats, là...

BIGRAS

Pis si on veut avoir le temps de visiter toutes les villes avant qu'on nous empêche de sortir, on n'a pas le temps de les faire deux fois.

DUMONT

Chez nous, c'est rendu qu'y faut qu'on soit rentrées avant huit heures le soir, sans ça, ça prend une demande spéciale.

BIGRAS

Demande spéciale! Demande spéciale! Betôt, ça va prendre une demande spéciale pour se gratter le nez!

DUMONT

Y ont assez peur qu'on meurt qu'y nous empêchent de vivre!... Pis! Comment ça s'fait qu'y étaient pus bons les portraits?

BIGRAS

Le garçon de la pharmacie y dit que c'est un piton su'l kodak!

DUMONT

Ah ben! Pourtant, on les a touttes pesés!

BIGRAS

Ben, c'est ça qu'y fallait pas faire. En té cas, j'ai été le reporter au vendeur, pis j'ai pris un radio à la place.

DUMONT

Ah bon! On achètera des cartes postales, y en a toujours dans les terminus.

BIGRAS

C'est c'que j'me suis dit. J'les mettrai dans ma chambre, la tapisserie est ben laide. Je l'ai apporté avec moi. (*Elle sort un walkman.*)

DUMONT

C't'un radio, ça?

BIGRAS

Oui madame!

DUMONT

C'est ben p'tit!

BIGRAS

Chus pas grosse.

DUMONT

Où c'est qu'y est le poste?

BIGRAS

Là-dedans.

DUMONT

Ah ben, c'est ben pour dire! On entend-tu ben?

BIGRAS

Ben mieux que le kodak!

DUMONT

La musique, a passe là-dedans? (*Montrant le fil.*)

BIGRAS

Oui madame, pis pour le prix du kodak, j'avais quatre oreilles avec. Je les ai pris; j'ai pensé à vous, pour le voyage.

DUMONT

Ah, merci beaucoup… On fait-tu notre tirage, là?

BIGRAS

C'est à mon tour.

DUMONT

Ah oui!… Bon ben… regardez pas, là vous!

> *Madame Bigras se dirige vers le support à fascicules.*
> *Elle ferme les yeux, en choisit un au hasard et revient*
> *vers madame Dumont.*

BIGRAS

Sainte-Adèle, on l'a jamais visité, celui-là.

DUMONT

Non.

> *Elles vont au guichet. Madame Bigras siffle. Fred ar-*
> *rive par (A).*

FRED

Pis, madame Bigras, où c'est que vous allez cette semaine?

BIGRAS

Deux billets aller-retour…

DUMONT

… pour Sainte-Adèle…

LES DEUX

… s'il vous plaît!

FRED

Ah! quarante-quatre piasses et cinquante... Pour vous, vingt-deux piasses.

DUMONT

Oh, c'est à mon tour! (*Elle paye les billets.*)

FRED

Tenez, madame Dumont. (*Il leur donne les billets.*)

DUMONT

Merci... merci!

FRED

Merci... pis bon voyage!

DUMONT

Vous aussi!

Il sort en (A).

BIGRAS

Madame Dumont... pis votre appareil?

DUMONT

Ah!... y me l'ont réparé.

BIGRAS

Bon!

DUMONT

Y est plus fort, là... On dirait que ça se replace!

BIGRAS

Avec ces oreilles-là, vous aurez pus besoin de ça... On va pouvoir écouter la même chose, en même temps qu'on s'parle, dans l'autobus... (*Elle lui met les écouteurs sur la tête.*)

DUMONT

Ah non! Pas comme ça, hein?... Comme ça! (*Elle met les écouteurs sur son appareil qui est accroché à sa poitrine.*)

BIGRAS

J'avais oublié que vous aviez l'oreille ben basse... Y reste pus rien qu'à peser su'l piton.

> *Madame Bigras met le walkman en marche. On entend un extrait de* Sandinista (The Clash), *très très fort dans la salle. D'abord étonnées, elles finissent par y prendre goût. Enfin, elles sortent l'une derrière l'autre en marquant le rythme.*

SCÈNE 17

Légaré, Jojo

Légaré entre sur scène, se tourne vers la coulisse (A) et se met à crier.

LÉGARÉ

Non mais, pour qui tu te prends, toé, Gervais? Pour qui tu te prends, le frais-chié. T'as commencé chauffeur, toé avec! T'as commencé chauffeur comme nous autres! Mais ç'a pas été long qu'une fois rendu en haut, t'as commencé à nous chier sur la tête, hein Gervais? Le head office mon cul! Je le sais de qui qu'a vient la décision! C't'un prétexte pour me clairer parce que tu m'aimes pas la face? Ben, ta job aux objets perdus, tu peux te la fourrer où c'est que je pense! (*Jojo arrive par (C).*) J'ai ma dignité, Gervais! J'me mettrai jamais à genoux devant personne! Salut! (*Déterminé, il va s'asseoir au banc T.V. Un bon temps, puis il dit, découragé.*) C'est ça que j'aurais dû lui répondre à Gervais! C'est ça!

Jojo rit, Légaré s'en aperçoit.

JOJO
Es-tu cosmonaute?

LÉGARÉ
Cosmonaute?

JOJO

Conducteur de fusée!

LÉGARÉ

La compagnie a pas les moyens, mademoiselle, c'est re-
grettable!

JOJO

C'est d'valeur, tu aurais pu me donner un lift, on aurait
eu du fun!

LÉGARÉ

Qu'est-ce que vous voulez au juste?

JOJO

J'vends des lettres d'amour, ça t'intéresse pas?

LÉGARÉ

Non, pas pour le moment.

JOJO

Y'en a qui sont érotiques... (*Elle rit.*) Pas cochonnes, érotiques!

LÉGARÉ

Hey, coudonc, riez-vous de moi vous, là?

JOJO

Ben certain... c'est quoi ton nom?

LÉGARÉ

Alphonse Légaré, matricule 28, ex Montréal—Gaspé.

JOJO

(*Elle lui tend la main.*) Jojo.

LÉGARÉ

(*Lui serre la main.*) Enchanté jojo.

JOJO
Enchantement!

JOJO
À qui tu parlais, tantôt?

LÉGARÉ
À mon patron.

JOJO
Y avait personne!

LÉGARÉ
Je le sais! J'ai toujours été fort là-dessus, moé, dire ce que j'pensais au monde quand le monde était pas là!

Un bon temps de silence. Légaré est découragé.

JOJO
Si je m'en vas, vas-tu me parler?

LÉGARÉ
(*Sourit.*) Vous êtes folle, vous!

JOJO
Complètement... Écrivaine publique loue ses services... poèmes, bêtises, lettres d'amour, à votre guise... (*Elle sort par (B).*)

LÉGARÉ
(*En souriant.*) Non, mais elle rit de moi, elle!

SCÈNE 18

Légaré, St-Georges Saucier

St-Georges Saucier entre par (A). Il se dirige vers la sortie (C). Il a un attaché-case et un mégaphone.

LÉGARÉ

Ah, St-Georges!

ST-GEORGES

(*Sursaute.*) Es-tu fou, toé, bonyieu! Fais-moé pas peur de même, blasphème!

LÉGARÉ

Excuse-moé, St-Georges, y m'arrive une affaire épouvantable! Le syndicat peut absolument pas laisser passer ça!

ST-GEORGES

Le syndicat laisse rien passer, ti-gars... Pis si y a d'quoi qui passe icitte, va falloir qui m'passe su'l'corps avant, blasphème!

LÉGARÉ

Tant mieux, j'peux-tu te parler?

ST-GEORGES

Dépêche-toé! Je pars pour le sommet économique à Pointe-au-Pic, chus pressé! Grouille!

LÉGARÉ

Écoute-moé, écoute-moé juste deux minutes!

ST-GEORGES

Bon.

LÉGARÉ

J'ai perdu ma job!

ST-GEORGES

Es-tu fou, toé?

LÉGARÉ

Non, mais chus à veille de le devenir.

ST-GEORGES

Bon, j'vas en glisser un mot au premier ministre.

LÉGARÉ

Ben, j'en parlerais à Gervais avant, moé.

ST-GEORGES

Gervais?

LÉGARÉ

Oui.

ST-GEORGES

Y t'a clairé, l'blasphème?

LÉGARÉ

Oui.

ST-GEORGES

Hein?

LÉGARÉ

Non, c'est-à-dire que... y m'a mis sur la tablette!

ST-GEORGES

C'te tablette-là a-tu été fixée selon les normes de sécurité du Code du travail?

LÉGARÉ

St-Georges, c'est plus grave que ça. Chus pus chauffeur!

ST-GEORGES

T'es pus chauffeur?

LÉGARÉ

Non.

ST-GEORGES

Un chauffeur, faut qu'ça chauffe, ti-gars! C'est son droit fondamental! C'est son droit inaliénable!

LÉGARÉ

Ben, c'est ce que j'pense aussi.

ST-GEORGES

Y a assez de travailleurs qui sont pas syndiqués pis qui sont payés en dessous du seuil minimum, qu'avant de nous geler nos salaires, vous feriez mieux de chauffer le derrière aux grosses compagnies!

LÉGARÉ

Ben oui, mais mon problème...

ST-GEORGES

(*Il s'échauffe.*) Ton problème, ti-gars, c'est que tant qu'y vont faire les profits qu'y font, on sera pas capables de contrôler l'inflation.

LÉGARÉ

Oui, mais écoute!!!

ST-GEORGES

(*Crie au public.*) Tant qu'à geler de quoi, gelez donc les profits de Bell Canada!

> *En désespoir de cause, Légaré joue le jeu.*

LÉGARÉ

Oui!

ST-GEORGES

Avec c'qu'y sauvent sur l'impôt, ça leur fera ni chaud ni frette!

LÉGARÉ

Oui, lâche pas!

> *Légaré fait signe à St-Georges de monter sur le banc. St-Georges s'exécute et gueule de plus belle.*

ST-GEORGES

Non, on lâchera pas! Si y a de quoi qui gèle icitte, ça sera pas nous autres! Parce que pour ce qui est de geler, j'pense que notre boutte est fait!

LÉGARÉ

(*Entrant dans le jeu.*) You bet!

ST-GEORGES

(*Parle dans son mégaphone.*) Pis tant que je serai à la tête du local des chauffeurs, c'est de même que ça va marcher!

LÉGARÉ

Oué!

ST-GEORGES

… que ça va rouler!

LÉGARÉ

Oué!

ST-GEORGES

(*À Légaré.*) Aimes-tu mieux «rouler» ou «marcher»?

LÉGARÉ

Rouler! J'aime mieux rouler! Justement!

ST-GEORGES

(*Dans son mégaphone.*) Pis tant que je serai à la tête du local des chauffeurs, c'est de même que ça va rouler!

LÉGARÉ

Oué!

ST-GEORGES

Oué!

LÉGARÉ

Oué!

ST-GEORGES

Oué!

LÉGARÉ

Oué!

ST-GEORGES

Oué... bon!

> *St-Georges reprend son souffle. Un temps.*

ST-GEORGES

De quoi qu'on parlait, là?

LÉGARÉ

De Gervais

ST-GEORGES

Où est-ce qu'il est?

LÉGARÉ

Dans son bureau!

ST-GEORGES

Bon... compte sus moé, tu vas l'avoir ton indexation, ti-gars, pis y va négocier assez vite qu'y n'aura pas connais-sance, blasphème! (*Il sort en (A).*)

LÉGARÉ

Mais... St-Georges!... En tout cas, lâche pas, St-Georges, t'es mon dernier espoir, hein! Pis explique-z-y que j'étais pas en tort! C'est écrit dans le rapport! (*Sylvie entre par (A).*) Par rapport que ce qui est écrit dans un rapport, me semble...

SYLVIE

Me semble!

LES DEUX

Y'a un boutte! (*Légaré sort par (B).*)

SCÈNE 19

Sylvie, Réjean

Réjean entre par (D) avec un Seven-Up à la main. Il va au guichet et le donne à Sylvie.

RÉJEAN

Sylvie! (*Il lui donne le Seven-Up puis fouille dans ses poches en regardant Sylvie.*)

SYLVIE

Merci! Tu peux garder le change, Réjean.

RÉJEAN

Thank you! Regarde mon billet de mini! Regarde les numéros, regarde, regarde, y est pus bon celui-là, regarde, tu peux le déchirer, y est pus bon celui-là!

SYLVIE

Ben déchire-lé, toi! Regarde, y a une poubelle, là.

RÉJEAN

Non, non, déchire-le toé, y est pus bon celui-là. J'vas en acheter un autre pour la semaine prochaine. C't'une bonne semaine pour moé, c'est la fête de ma mère; ça, c'est bon pour la mini! Cette semaine, y avait rien. Regarde les numéros! Tu peux le déchirer, y est pus bon, celui-là!

Sylvie le prend, le déchire et le jette dans la poubelle.

RÉJEAN

Y était pus bon celui-là. Regarde, j'en ai acheté un autre: un beau! Ça va être meilleur! (*Il sort un autre billet de sa poche.*)

SYLVIE

Aïe, Réjean, y fait froid dehors, hein?

RÉJEAN

Oui... j'sors pas, moé... Non, à part de venir icitte acheter ma loto, voir les autobus, j'sors pas... J'aime pas ça... C'est trop dangereux... Icitte, y a ben des polices mais dehors, c'est trop dangereux... Y faudrait qu'y mettent plus de polices, hein?

SYLVIE

Oui.

RÉJEAN

Les lotos avec, y devraient en mettre plus! C'est tellement l'fun! Pas les grosses... Non, les grosses, c'est plate... Non, moé, c'est la mini... À part de ça, les grosses, c'est pour les riches... Aïe, t'sais, dix piasses y faut qu'tu sois riche pour gagner!... Non, moé, c'est la mini... Pis à part ça, les grosses, tu gagnes pas assez souvent. Tsé, avec la mini, tu gagnes à toutes les semaines! Ça, c'est l'fun!... C'est la plus l'fun, la mini! Moé, les minis, j'les ai toutes eues.

SYLVIE

Mais t'as jamais gagné!

RÉJEAN

Non, mais j'les ai toutes eues... à toutes les semaines, cinquante cents, c'est pas cher, t'sais!

On entend un appel d'autobus sur lequel Réjean et Sylvie font du lip sync *parce qu'ils le connaissent par cœur: Pour eux, c'est un jeu. Juste avant que le numéro soit prononcé, la bande sonore s'arrête un temps. On entend: «Rouyn-Noranda — Val-d'Or — Amos — Senneterre, porte le numéro quinze, Rouyn-Noranda — Val-d'Or — Amos — Senneterre, gate number...»*

RÉJEAN

Fifteen!

SYLVIE

Twelve!

On entend: «... fifteen!» Réjean a gagné, Sylvie lui donne un vingt-cinq cents. Il est heureux. Un temps. Il fouille dans ses poches pour prendre son billet de loterie. Il ne le trouve pas, il s'énerve.

RÉJEAN

Aïe! Aïe Sylvie! J'ai perdu ma mini!

SYLVIE

Mais non, regarde. Elle doit être dans ta poche.

RÉJEAN

(*Paniqué.*) Non! Non! Je l'ai pas, je... (*Il fouille nerveusement dans ses poches.*) O.K.! O.K.! Je l'ai! Je l'ai! (*Réjean s'assoit sur le banc et se frotte l'estomac.*)

SYLVIE

Que c'est que t'as, Réjean?

RÉJEAN

Rien.

SYLVIE

As-tu mal au ventre?

RÉJEAN

Oui. C'est pas grave, c'est pas grave. T'sais quand j'ai été malade, là, t'sais, chus pas venu pendant deux jours... T'sais, j'ai été malade, là?

SYLVIE

Oui.

RÉJEAN

Ben, c'est ça! J'ai été malade au ventre! J'ai été malade.

SYLVIE

Ah...

RÉJEAN

Le docteur, là, y veut pus que j'en achète des minis. Y veut pus.

SYLVIE

Pourquoi?

RÉJEAN

Parce que y dit que c'est ça qui me donne mal au ventre, c'est ça. Y dit que ça m'énerve, c'est drôle, hein?

SYLVIE

Pourquoi ça t'énerve?

RÉJEAN

J'sais pas. J'aime ça, la mini.

Un temps. Sylvie est songeuse.

SYLVIE

Réjean, que c'est que tu f'rais si y avait pas d'minis?

> *Réjean prend un temps pour répondre. La question ne lui est, de toute évidence, jamais venue à l'esprit.*

RÉJEAN

Ben, y en a!

SYLVIE

Oui, mais si y en avait pus?

RÉJEAN

Ben, y en aurait d'autres.

SYLVIE

Oui, je l'sais. Mais mettons qu'y décideraient qui n'aurait pus pantoute des lotos, que c'est que tu ferais?

> *Réjean se lève et s'approche du guichet, très inquiet.*

RÉJEAN

C'est-tu vrai, ça?

SYLVIE

Ben non. Mettons!

RÉJEAN

Je l'sais pas là. Ça s'peut-tu qui en aurait pus?

SYLVIE

Ben non! Y va en avoir toujours.

RÉJEAN

Pourquoi y en aurait pus?

SYLVIE

Peut-être qu'y décideraient qu'y en a pus.

RÉJEAN

Qui ça?

SYLVIE

Les gouvernements.

RÉJEAN

Pourquoi y feraient ça?

SYLVIE

Ben, si tout le monde avait mal au ventre comme toi, y faudrait bien qu'y les enlèvent!

RÉJEAN

Ah… ben, j'ai pus mal, là, j'ai presque pus mal!

Un temps.

SYLVIE

Qu'est-ce que tu ferais, toi, si tu gagnais cinquante mille piasses?

RÉJEAN

Cinquante mille piasses, cinquante mille piasses??? Aïe! c'est gagner ça!… cinquante mille piasses! Je l'sais pas là… Ben, j'aurais pus mal au ventre!… (*Il rit.*) T'as-tu mal au ventre?

SYLVIE

Oui.

RÉJEAN

Toi aussi, t'as mal au ventre… Ça fait mal, hein? C'est-tu la mini qui fait ça?

SYLVIE

Non, c'est l'argent!

RÉJEAN

Pourquoi ça fait ça?

SYLVIE

Parce que... c'est difficile!

RÉJEAN

C'est difficile?

SYLVIE

Oui!

> *Réjean jette son billet sur le comptoir et se dirige vers la sortie (D).*

SYLVIE

Réjean, où tu t'en vas?

RÉJEAN

Je le sais pas, là... j'vas y aller!

SYLVIE

Ta mini?

RÉJEAN

Garde-le mon mini!... J'vas venir le ravoir demain... Ben, peut-être pas demain, mais m'as venir le ravoir, O.K.?

SYLVIE

O.K. Bye Réjean! (*Il sort en (D).*)

SCÈNE 20

Fred, Sylvie, Christiane,
un employé, l'avocat

Fred arrive derrière Sylvie.

FRED

Sylvie, la p'tite Marie veut te voir!

SYLVIE

J'y vas, là, Fred! (*Elle sort en (A).*)

FRED

(*Il prend le micro*) Gaston Lemieux, six ans, est au guichet numéro un! Y est venu rejoindre sa petite sœur Marie, cinq ans! S'il vous plaît, madame Lemieux, ça fait un petit bout de temps, là!

> *Christiane arrive par (B); elle voit Fred qui la regarde; elle fige.*

FRED

Oui?

> *Christiane, désemparée, saute sur le téléphone intérieur comme si elle voulait demander un renseignement. Fred sort par (A).*

CHRISTIANE

(*Au téléphone.*) Heu... non... Oui! Oui! C'est correct, c'est correct! Je raccroche! (*Elle vient devant le guichet et sort un petit papier qu'elle lit à voix haute.*) «Bonjour, je fais une enquête sur la timidité et j'aimerais que vous répondiez à mes questions. Ça ne prendra que deux ou trois minutes de votre temps et ça m'aiderait beaucoup. Merci!»

> *Un jeune employé avec un café passe de (D) à (B). Il est très pressé. Christiane lui tend son papier.*

EMPLOYÉ

Non merci!

> *Arrive par (D) un avocat avec un attaché-case. Il arrive face à face avec Christiane qui lui brandit son papier sous le nez. Croyant qu'il a affaire à une sourde et muette, l'avocat, sans lire le papier, fouille dans son porte-monnaie, en sort un dollar qu'il donne à Christiane tout en lui prenant son stylo. Il se dirige vers (B), il s'arrête et revient vers elle. Il lui dit en articulant exagérément pour qu'elle lise sur ses lèvres.*

AVOCAT

Bonne chance! (*Il s'apprête à sortir.*)

CHRISTIANE

Non!... euh, je...

AVOCAT

Comment! Vous parlez, vous? Vous êtes pas muette?

CHRISTIANE

Euh... non!

AVOCAT
Aïe, vous êtes pas gênée!

CHRISTIANE
Ju… justement!

AVOCAT
Redonnez-moi mon argent!

CHRISTIANE
Euh… oui! (*Elle lui redonne son dollar.*)

AVOCAT
Tu parles d'un racket, toi! Sacrifice! (*Il sort en (B).*)

CHRISTIANE
Mon stylo! (*Elle sort par (B).*)

SCÈNE 21

Columba, Fender

On entend: «Saint-Sauveur — Saint-Adolphe d'Howard — Sainte-Agathe — Morin Heights — Huberdot — Lac-Rémy — Lac-des-Plages, porte numéro douze (bis). Gate number twelve.» Fender arrive par (D). Il est très sûr de lui, il s'approche du guichet et attend qu'on le serve. Columba entre par (D) derrière lui. Apercevant sa proie, elle vient s'asseoir innocemment sur le banc. Elle a une perruque de Barbie et un parapluie très coloré. Elle est déguisée en petite fille modèle. Elle prend une petite voix douce.

COLUMBA

Aïe! C'est long attendre quand tu sais pas l'heure!

Fender se détourne, la voit, se pourlèche les babines.

FENDER

Ben voyons, mon ti-pit! Garde en face de toi, l'horloge. À moins qu'ça soye la grande aiguille... qui t'énerve! (*Il rit de son bon mot et commence à s'approcher.*)

COLUMBA

(*Toujours gentille.*) Pourriez-vous me dire l'heure, s'il vous plaît? Je sais pas lire, je sais pas compter, je sais pas rien!

FENDER

Tu dois savoir ton nom? (*Il s'assoit.*)

COLUMBA

J'm'appelle Garance.

FENDER

C't'un beau p'tit nom ça!

COLUMBA

Garance Lachance, c'est ça qu'y est de valeur! (*Un temps.*) Allez-vous quelque part?

FENDER

Ouais!

COLUMBA

Chanceux!

FENDER

Pis, le p'tit amour, y attend l'autobus?

COLUMBA

Pas tellement. Chus dans un nowhere.

FENDER

Ah!

COLUMBA

Je peux pas aller nulle part! Chus toute seule! Ça fait que je niaise avec mon parapluie. (*Elle le fait tourner.*)

FENDER

(*Regardant le parapluie.*) T'aimes ça long! T'es comme moé!

COLUMBA

(*Elle regarde son parapluie.*) C'est pas les plus longs qui durent le plus longtemps! Surtout quand y «vante»!

FENDER

Ton p'tit ami est pas avec toi?

COLUMBA

J'en ai pas de p'tit ami! J'sais pas lequel choisir! Y m'aiment toutte! Chus tellement spontanée!

FENDER

Je les comprends de t'aimer! Mon p'tit creton d'automne! (*Il s'approche de plus en plus.*) T'as l'air d'une p'tite femme en chaleur! Que veux-tu, on n'est pas faits en chocolat, hmm?

COLUMBA

Une chance, chus tellement chaude que tu fondrais!

> *Fender est de plus en plus excité, il se colle sur elle.*

FENDER

Aimes-tu mieux le chocolat mou ou ben le chocolat dur?

COLUMBA

(*Elle se retrouve à l'extrémité gauche du banc.*) J'sais pas, mais là, tu dois être mou parce que j'te trouve pas mal collant! (*Elle se lève et va se rasseoir à l'autre bout du banc.*)

FENDER

Comme ça tu veux pas que j'te dise l'heure avec ma p'tite aiguille!? (*Il se rapproche d'elle.*)

COLUMBA

Dis pas ça, tu vas me faire sonner!

FENDER

Hein?

COLUMBA

Chus pas habituée de me faire traiter d'horloge, ça me remonte sur un temps rare!

FENDER

(*Il la colle.*) J'haïrais pas ça te remonter, moi!

COLUMBA

Ben... euh, laissez faire! J'pense que j'vas monter en autobus!

FENDER

Fais une phrase avec autobus.

COLUMBA

Ma femme a un bouton su'l nez pis deux autres au buste! Fais une phrase avec métro pis voyage.

FENDER

Je l'sais pas là, ma p'tite noix!

COLUMBA

Trop, c'est trop! J'ai mon crisse de voyage! (*Elle enlève sa perruque et met son bandeau sur l'œil.*)

FENDER

(*Horrifié.*) Columba! La détective antisexiste!

COLUMBA

(*Elle lui met les menottes.*) Es-tu content l'aiguille? L'horloge t'a sauté dans la face! Suis-moé, on va faire du temps!

Ils sortent en (D).

FENDER

Non!... Non!...

SCÈNE 22

L'avocat, une fille, le garde

On entend: «Edmunston — Woodstock — Fredericton — St.John's — Moncton, porte numéro dix-huit (bis). Gate number eighteen.» L'avocat entre par (B) et vient s'asseoir sur le banc; il s'appuie sur une main et sent quelque chose de collant sous le rebord du banc; c'est une grosse mâchée de gomme. Il est dégoûté et essaie de s'en défaire pour finalement aller la jeter dans la poubelle. Arrive une jeune fille, tout essoufflée.

FILLE

Monsieur! Monsieur! Avez-vous vu un policier dans les parages?

L'AVOCAT

Non!

FILLE

Non. Même pas un garde de sécurité?

L'AVOCAT

Même pas!

FILLE

Eh maudit! Quand on a besoin d'eux autres, y sont jamais là!

L'AVOCAT

Ah ça!

FILLE

(*Se met à crier.*) Police! Police!

L'AVOCAT

(*Voulant l'aider.*) Police! Police!

FILLE

Y en a vraiment pas, hein?

L'AVOCAT

J'ai bien peur que non!

> *La fille abaisse un passe-montagne sur son visage et sort son revolver.*

FILLE

O.K. bonhomme, ton cash pis vite!

> *Il lui donne son porte-monnaie et elle sort par (C). Un temps.*

L'AVOCAT

Police! Police!

> *Il se dirige vers (B). Entre le garde, le revolver au poing.*

LE GARDE

Qu'est-c'est qu'y a?

> *L'avocat en se retournant arrive face à face avec l'arme du garde. Il porte la main au cœur. Le garde, qui ne l'avait pas vu, fait la même chose. Ils ont tous les deux très peur. Le garde tient toujours l'avocat en joue.*

L'AVOCAT
Tasse ça!

LE GARDE
Ôte-toi!

L'AVOCAT
Tasse ça!

LE GARDE
Ôte-toi!

L'avocat s'écrase derrière le banc. Le garde hésite, puis s'en va face au public. Il s'aperçoit qu'il pointe toujours son arme et rengaine maladroitement sont fusil. Il n'a évidemment pas l'habitude de manipuler un revolver. Il s'adresse aux spectateurs.

LE GARDE
Excusez-moi de vous déranger, mesdames et messieurs, on vient de recevoir à l'instant un appel d'offre à la bombe dans le terminus. Il s'agit peut-être d'une mauvaise plaisanterie mais pour plus de sécurité, nous vous demanderions s'il vous plaît de bien vouloir évacuer la salle quinze, vingt minutes, le temps qu'on tcheck en dessous de chaque siège s'il vous plaît, c'est pour votre sécurité! merci!

L'avocat reste interloqué et le garde le pousse vers la sortie (C).

LE GARDE
Sors d'icitte, ça va péter cette affaire-là.

Ils sortent en (C).

ENTRACTE

ACTE DEUX

*Cinq minutes avant la fin de l'entracte, le garde entre
en scène. Il vérifie un peu partout. Il cherche sa bombe.
Puis, il va vers le public et s'adresse aux gens qui sont
déjà dans la salle.*

LE GARDE

Mesdames et Messieurs, vous pouvez être sans crainte et
sans danger, il n'y a pas de bombe dans la salle. On vérifie le hall, ça sera pas long.

*Il répète son message en descendant dans la salle et en se
dirigeant vers le hall. Rendu dans le hall, il invite les
gens à regagner leur siège.*

LE GARDE

Vous pouvez regagner vos sièges, il n'y a pas de bombe
dans la salle. Veuillez regagner vos sièges pour nous per-
mettre de fouiller dans le hall s'il vous plaît.

*Il revient dans la salle. Répète son message. Monte sur
scène et disparaît en coulisse.*

*Lorsque tous les gens sont revenus, on entend, en coulisse,
une explosion formidable. Le garde revient sur scène,
complètement défait.*

LE GARDE

Y'a pu, de danger mesdames et messieurs! L'engin est
désamorcé. J'm'en suis occupé personnellement!

Il sort en titubant, alors que commence la deuxième partie.

SCÈNE 1

Légaré, Sylvie, Lucien Pouliot, Yolande Lacoste.

Sylvie entre par (B) et s'en va derrière le guichet, suivie de Légaré qui va se placer devant.

LÉGARÉ

Ben voyons Sylvie! A me connaît même pas!

SYLVIE

Oui, mais... J'vous le dis, monsieur Légaré. Elle m'a même donné une lettre pour vous. Elle m'a dit: «Pour le chauffeur qui est si beau.» J'ai pensé que c'était vous!

On entend: «Montréal — Gaspé, porte numéro quatorze. Montréal — Gaspé, gate number fourteen.» Légaré sursaute et se dirige vers les portes (C) qu'il ouvre. Il crie aux gens à l'extérieur.

LÉGARÉ

À votre place, j'embarquerais pas là-dedans. J'vous avertis, c'est pas safe.

SYLVIE

Monsieur Légaré!...

LÉGARÉ

Ça m'étonnerait qu'y se rendent jusqu'à Matane! Ce chauffeur-là, y est daltonien. (*Ne pouvant se contenir, il sort complètement par (C) et continue de crier en coulisse.*)

SYLVIE

Monsieur Légaré, rentrez donc, y fait frette!

LÉGARÉ

Pis si vous partez, je vais faire sauter le Rocher Percé!

Lucien entre par (C) et va jusqu'à Sylvie.

LUCIEN

Aïe, Sylvie, veux-tu faire de quoi? Appelle quelqu'un, Légaré est après venir fou.

SYLVIE

Je l'sais, mais je peux pas!

Toujours en coulisse.

LÉGARÉ

Fiez-vous pas à lui! Y est même pas capable de faire la différence entre une mouette pis un moineau!

LUCIEN

Y empêche mon monde de rentrer dans l'bus.

Lucien sort rejoindre Légaré. Légaré revient en ayant volé le poinçon de Lucien. Lucien revient et court après lui.

LUCIEN

Alphonse, donne-moé mon punch.

LÉGARÉ

Viens le chercher!

LUCIEN

Fais pas le cave! Donne-moé mon...

Entre un voyageur avec un fort accent gaspésien.

VOYAGEUR

Que c'est qui se passe icitte-là! Qu'on est pas capables d'embarquer dans l'autobus! Qu'y fait frette dehors! Qu'on gèle là!

LUCIEN

Ça sera pas long! Ça sera pas long!

Lucien sort avec le voyageur.

LÉGARÉ

Aïe Pouliot! T'oublies ton punch.

Il s'apprête à sortir, Sylvie s'interpose.

SYLVIE

Monsieur Légaré, vous pourrez pas le retenir le Montréal—Gaspé!

LÉGARÉ

Ça m'enrage de les voir partir sans moé!

SYLVIE

Ben, pensez pas que c'est enrageant pour moé. Je leur vends les tickets pis j'reste tout l'temps icitte! Que c'est que vous avez à chialer, monsieur St-Georges Saucier est en train de négocier pour vous avec monsieur Gervais, ça devrait se régler.

LÉGARÉ

Ce qui m'empêche d'être une défaillance humaine, comme dit Régis Gervais, c'est de voir la Matapédia deux fois par semaine!

SYLVIE

Là vous allez me dire que vous êtes en amour avec la Gaspésie!

LÉGARÉ

C'est surtout la ligne blanche jusqu'à Gaspé! Pour un chauffeur, la ligne blanche, c'est comme le bout du monde que t'écris avec tes roues. Quand tu reviens à Montréal avec tout ton monde en arrière de toi, t'as l'impression que la mer traverse le boulevard René-Lévesque.

Lucien entre par (C).

LUCIEN

Alphonse, donne-moé mon punch! Arrête de niaiser, donne-moé ça! Le monde attend après moé dehors! Y faut que je parte, donne-moé mon punch!

LÉGARÉ

Ben, viens l'chercher.

Légaré s'assoit sur le poinçon, au banc centre.

LUCIEN

Fâche-toé pas Alphonse, c'est pas moé, c'est Gervais. Pis à part de ça, le Montréal—Gaspé, l'as-tu acheté toé? Moé, Alphonse, ch'conduis mon bus… (*Il prononce «boss».*)

LÉGARÉ

Pis ça a l'air que l'boss te mène pas mal par le bout du nez aussi, hein?

LUCIEN

Franchement!

Yolande Lacoste entre par (A), passe devant le guichet et vient près de Légaré.

YOLANDE

(*Énervée.*) Alphonse, Alphonse, y va pas te mettre aux objets perdus là, lui?

LÉGARÉ

Tourne pas le couteau dans la plaie, Yolande Lacoste, veux-tu, là?

YOLANDE

Ben non Alphonse... c'que je veux dire, c'est encore plus plate que le Montréal — Montebello! Jour de ma vie!

LUCIEN

Exagère pas Yolande Lacoste! T'as le privilège d'être la première femme sur une ligne de transport, aie du respect pour tes villes!

YOLANDE

Aïe toé! Tu peux ben venir de la campagne, Lucien Pouliot, ιu parles comme un tracteur!

SYLVIE

(*Au micro.*) 210, 499, vous êtes attendus sur le quai!

LÉGARÉ

En tout cas, avant que je travaille aux objets perdus, les pneus vont avoir des dents avec des caps en acier!

LUCIEN

Tu devrais être content Alphonse; tu vas pouvoir écouter toutes les games de hockey.

LÉGARÉ

T'es trop sportif, Pouliot! Tu raisonnes comme un patin à quatre lames!

YOLANDE

En tous cas, moé, Pouliot, j'aurais jamais accepté de prendre sa place sur le Montréal—Gaspé!

LUCIEN

Y te l'auraient jamais offert, Yolande Lacoste! Ça vient de Joliette pis c'est fière-pette comme une sœur en vacances!

SYLVIE

(*Au micro.*) 210, 499, vous êtes attendus sur le quai!

Sylvie sort par (A).

YOLANDE

On y va! On y va! Bon, ben lâche pas Alphonse! On est avec toé même si t'es pus là! Aïe! Pouliot. (*À Lucien.*) Fais attention de pas te faire avaler par une crevette!

Elle sort par (C).

LUCIEN

(*Pour détendre l'atmosphère.*) Pauvre Yolande! A s'essaye, hein?

Légaré se lève et jette le poinçon en coulisse. On entend: «Ayoye maudit!» C'est notre voyageur gaspésien qui l'a reçu en plein front. Il revient avec le poinçon à la main. Il engueule Lucien avec un accent gaspésien très prononcé.

Voyageur

Tu veux-tu l'avoir dans l'front? Tu veux-tu l'avoir dans l'front? M'as te l'envoyer dans le front moé! (*Toujours avec son accent.*)

    Lucien et le voyageur sortent sous les rires de Légaré.

SCÈNE 2

Jojo, Bertrand Ghyslaine, le hippie

Légaré s'aperçoit qu'il a une lettre dans la main, il l'ouvre.

LÉGARÉ
Cher Monsieur,

J'ai jamais eu le plaisir de voyager avec vous, mais je sens que j'aimerais ça. En tout cas, je vous ferais pas mal. Bien à vous. Une passagère inconnue qui vous veut du bien.

On entend Jojo de la coulisse.

JOJO
Poèmes, bêtises, lettres d'amour à votre guise… Faites-vous accroire de belles accroires!…

Légaré veut aller rejoindre Jojo au moment où Bertrand entre par (C).

BERTRAND
Alphonse! T'es pas parti pour Gaspé, toé?

LÉGARÉ
Bertrand, s'il vous plaît! Veux-tu!

BERTRAND

Que c'est que j'ai dit?

LÉGARÉ

Ben, si chus icitte, chus pas parti!

BERTRAND

J'vois ça, j'vois ça là! Que c'est qui se passe?

LÉGARÉ

Y se passe que!... Y se passe pus rien Bertrand O.K.!
Y se passe pus rien! Laisse faire! Salut. (*Il sort par (B).*)

BERTRAND

Ben! Que c'est que j'ai dit?!

> *Arrive une femme avec sa valise par (D). La valise en question est conçue comme un appartement miniature. Elle se déplie comme une table et contient: une lampe, une radio, un jeu de Tupperware, des débarbouillettes, une nappe, un petit bouquet de fleurs, un fer à repasser, un journal. Elle contient de plus une section «salle de bain» composée d'un miroir, d'un rasoir et d'une bonbonne de crème à raser. La valise est conçue pour se placer au milieu du banc. Lorsqu'elle est fermée, elle ressemble à une valise ordinaire. Bertrand et Ghyslaine ont l'accent du Lac–Saint-Jean.*

GHYSLAINE

Bertrand! You hou! Bertrand, chus ici! You hou!

> *Il se dirige vers elle. Ils s'embrassent.*

BERTRAND

Allô ma douce! Vite, chus pressé, faut que je reparte pour
Dolbeau, dans dix minutes!

Ils déplient une housse spécialement conçue pour recouvrir le banc... pour faire plus intime.

GHYSLAINE

Fais-toé-z-en pas mon ti-loup, si tu ne viens pas à la maison, la maison vient-z-à-toi! (*Elle ouvre la valise.*) Veux-tu un apéritif, ou si t'aimes mieux manger tout d'suite? (*Elle lui donne un napperon qu'il met sur ses genoux.*)

BERTRAND

Non, non j'ai faim tu-suite, j'ai faim tu-suite là!

GHYSLAINE

J't'ai préparé un bœuf aux oignons avec des carottes au beurre pis une tarte au sucre. D'abord les mauvaises nouvelles, passe-moé l'sel... merci... Ta mère a appelé.

Elle sale son plat et lui donne. Il commence à manger.

GHYSLAINE

A dit que ta tante Emma est au plus mal. Y l'ont ouvert à matin, pis a m'a dit que ce qu'y ont vu était tellement laid qu'y ont refermé sans rien faire. Ça fait que j'ai pensé ... veux-tu du pain?... J'ai pensé qu'on pourrait peut-être envoyer des fleurs vu qu'a pense qu'a n'a pas pour la semaine; j'ai pensé aux fleurs à cause que t'auras pas le temps de passer avant qu'a meurt à cause de ton overtime; j'ai fait marquer dessus: «On prie pour ta délivrance»... (*Elle sort le thermos de thé, l'ouvre et lui donne une tasse de thé.*)

... J'ai pas pris de chance; comme ça, d'une manière ou d'une autre, on n'aura pas l'air simple... Attention à ton thé, y est chaud... Raoul nous a invités à son chalet en fin de semaine, au Lac–Saint-Jean. J'y ai dit que ça adonnait bien vu que tu faisais le Montréal—Dolbeau, ça fait que j'vas embarquer avec toi, ça va nous faire une petite fin de semaine d'amoureux... T'auras rien qu'à me laisser en passant... Veux-tu avoir de la tarte?... (*Lui donne sa tarte.*)

«On va-tu pouvoir le voir» qu'y m'a demandé! «Ben, discours simple, j'y ai répondu, vous avez juste à venir me chercher au terminus d'Alma, vous pourrez y faire un bye-bye en passant...» Vas-tu en vouloir encore?... Bertrand! La p'tite Fortin se marie après-midi avec un dénommé Gagnon... Paul-Gaston... Paul-Yvon... En tout cas, j'me souviens pas là. A se marie à trois heures à Arvida. Cher, j'ai pas envoyé de cadeau! J'étais assez en maudit qu'y nous aient pas invités!

BERTRAND

T'as ben fait!

GHYSLAINE

Mais que c'est que t'as là? Ton coat est ben fripé! Passe-moé ça, là! Aïe!

> *Il enlève son coat. Elle sort un fer de la valise et commence à repasser sur le comptoir du guichet.*

GHYSLAINE

Sais-tu que j'ai hâte que la compagnie vous en donne un autre! Comme ça, au moins, j'vas pouvoir en repasser un à la maison... Bertrand! Chus allée voir le docteur! Finalement, chus pas enceinte... Y dit que c'est normal; que ça peut retarder de quelques jours vu que chus pas régulière. Pis avec les vies de fous qu'on mène aussi! J'y ai demandé si le fait de faire l'amour debout dans les toilettes d'un terminus ça pouvait nuire!... Ben d'après lui, ça peut pas aider, vu que les spermatozoïdes se retrouvent à redescendre tu-suite! Fait que, ça sera pour une autre fois! De toute façon, on a le temps!...

Bertrand finit sa tarte.

GHYSLAINE

T'as une chemise propre, pis ton journal là-dedans!

Bertrand ouvre la section «salle de bain», sort une bonbonne de crème à raser et commence à se raser.

GHYSLAINE

Pis toi mon amour? Ta journée? Comment ç'a été?

BERTRAND

Aller-retour!

GHYSLAINE

Mais là, tu dois être fatigué? La route, c'est tellement stressant. J'ai lu un article sur le stress. Y paraît que ça fesse sans qu'on s'en rende compte. Tu vis, tu vis, tu vis pis un moment donné là, bang! t'es stressé! Fait que, prends garde, cher! J'voudrais pas qu'y t'arrive de quoi!

On entend: «Québec — Hébertville — Roberval — Saint-Félicien — Dolbeau, quai numéro dix, gate number ten.»

BERTRAND

C'est mon autobus! Vite!

Ils remballent les objets.

GHYSLAINE

J'ai mis une pomme dans ta poche pour la route. J't'ai préparé une soupe aux gourganes pour demain, pis fais attention dans l'parc, y disent que c'est ben glissant... Sais-tu, j'pense à ça moé là! Si on se faisait construire un lit dans la valise, chus sûre que je serais enceinte!

BERTRAND

Penses-tu?

GHYSLAINE

Bye, mon amour!

BERTRAND

Bye!

> *Bertrand sort par (C), Ghyslaine par (B). Le hippie entre par (D), il vient au centre, toujours dans les nuages. Il s'apprête à s'asseoir; comme ses fesses touchent le banc, il se ravise, se lève et sort en (B).*

SCÈNE 3

Blaise, Anita

Blaise entre par (B) au moment où le hippie allait sortir. Ce dernier le regarde un moment puis se met à rire et sort. Blaise le regarde d'un air dégoûté puis il s'avance vers l'avant. Il attend debout. Anita vient le rejoindre.

ANITA
Bonjour!

BLAISE
Bonjour!

ANITA
Vous êtes là?

BLAISE
Je suis là.

ANITA
Tant mieux!

Anita regarde autour.

ANITA
Mon doux! Ma valise!

BLAISE
Votre valise?

ANITA
Ma valise!

BLAISE
Vous aviez une valise?

ANITA
J'ai juste une valise.

BLAISE
Elle est là!

ANITA
Là?

BLAISE
Là! derrière vous.

ANITA
Où ça?

BLAISE
Là.

ANITA
Ah! Ma valise! (*Elle prend sa valise.*)

BLAISE
Votre valise, elle est là.

ANITA
Ma valise. (*Un temps.*) L'autobus arrive à deux heures?

BLAISE
À deux heures... à deux heures!

ANITA

J'me suis dit: j'prendrai pas de chance, j'aime mieux arriver à l'avance.

BLAISE

Mais là, on est corrects, y est pas encore deux heures! Mais a va être là à deux heures.

ANITA

À deux heures. C'est une belle heure!

BLAISE

C'est mieux qu'une heure!

ANITA

Un tiens vaut mieux que deux tu l'auras!

BLAISE

À qui le dites-vous, mon doux!

ENSEMBLE

Mon doux!

ANITA

Un céleri, Blaise?

BLAISE

Non merci, Anita.

ANITA

Y sont au cheez-whiz.

BLAISE

Non, certain. J'ai ma banane-collation.

ANITA

Écoutez là, vous! Gardez votre banane pis prenez donc un petit morceau d'céleri. Vous allez avoir faim rendu à Shawinigan; les congrès de la CEQ, ça creuse!

> *Ils mangent. On entend un appel d'autobus: «Montréal — Sherbrooke porte numéro dix-sept (bis). Gate number seventeen.»*

ANITA

Mon Dieu! L'être humain est chanceux! Partir d'un point puis aboutir à un autre! Que notre corps puisse se transporter de Montréal à Shawinigan sur roues, moi, je trouve ça pas mal extraordinaire!

BLAISE

Vous savez, il faut savoir remercier qui de droit!

> *Ils regardent au ciel.*

BLAISE

Que l'homme soit nomade, oui! Mais que son cœur soit sédentaire!

ANITA

Qui saute comme un lapin perd son chemin!

BLAISE

J'vais vous dire une chose, Anita! En chaque humain, il y a un lapin; mais Dieu seul sait où est le chemin!

ANITA

Blaise, la vie est une grande autoroute mais c'est pas tout l'monde qui a le trente sous pour la prendre!

BLAISE

Ça en prend du petit change pour faire une vie! Parfois, l'étrange idée me vient d'écrire un livre que j'intitulerais: «Comment devenir adulte... et le rester»!

ANITA

Et le rester en majuscule!

> *À ce moment, on voit entrer l'initié par (D). Il a toujours son sac à déchets vert et son soutien-gorge.*

L'INITIÉ

Excusez! je suis à la recherche d'autres sacs verts! Vous les auriez pas vus?

ANITA

Non!

L'INITIÉ

Mais si jamais vous en voyez, pourriez-vous...

BLAISE

Non!

> *L'initié rebrousse chemin.*

L'INITIÉ

Maudit, moé! (*Découragé, il se tape sur les cuisses, ce qui lui fait très mal.*)

BLAISE

Comment enseigner aux jeunes les treize étapes de la maturité? Le plaisir, oui, mais le plaisir raisonnable d'être adulte trois cent soixante-cinq jours par année...

ANITA

Vingt-quatre heures par jour...

BLAISE

Soixante minutes par heure! Être, à chaque instant, maître de ses désirs!

ANITA

Dominer ses rêves!

La rage les gagne.

BLAISE

Extirper la folie du cœur de l'Homme!

ANITA

Comment se fait-il, Blaise, que la maturité ne soit pas à la portée des enfants? Il y a des jours où le «bébéisme» me perturbe à un tel point!

BLAISE

Il faudrait leur inculquer à coups de marteau!

La rage monte.

ANITA

Ou à coups de pelle! Vraiment, je n'arrive plus à être un titulaire motivé, les enfants m'étrivent!

BLAISE

Y a des jours où, personnellement, j'en flusherais une couple dans les toilettes.

Un temps. L'image les fait sourire.

ANITA

Ah! La joie d'interner un enfant dans une école militaire où la vérité s'approfondit à la lueur d'une réclusion solide!

BLAISE

Le silence obligatoire! Une discipline rigoureuse!

ANITA

Des barreaux aux fenêtres!

BLAISE

Des cadenas aux portes!

ANITA

Une clôture...

> *Les deux sont complètement exaltés.*

LES DEUX

Tout le tour de l'école!

ANITA

Blaise! Un destin nous attend!

BLAISE

La jeunesse apprendra par la force de nos canons!

> *Ils se dirigent vers leur autobus au pas militaire en chantant: «Il faut que ça soit neuf tous les matins*.» Ils sortent par (C).*

---

* Chanson interprétée par «Soeur Sourire»:
Il faut que ce soit neuf
Tous les matins
Car l'amour
S'est levé avant moi...

SCÈNE 4

Sylvie, Columba, Mo, Larry

Sylvie entre par (A) et va à son comptoir. On entend:
«Shawinigan — Grand-Mère — La Tuque — Rober-
val, porte numéro seize (bis). Gate number sixteen.» Mo
entre par (B), avec un escabeau en bandoulière, va au
guichet et s'adresse à Sylvie.

MO

Je peux-tu parler au commis?

SYLVIE

C'est moi!

MO

Qui?

SYLVIE

La commis c'est moi.

MO

Ah! mais l'autre, le gars y est pas là?

SYLVIE

C'est à quel sujet?

Mo

C'est important!... C'est que, on a été demandés pour une job de ménage, on sait pas c'est quoi là!

Sylvie

Ah! c'est vous autres! Ben c'est les panneaux, là!

Mo

Ah ouais! Comme ça, le gars est pas là?

Sylvie

Avez-vous besoin du gars pour nettoyer les panneaux?

Mo

J'pense pas, là!

Sylvie

Ben le gars est pas là, mais les panneaux sont là!

> *Mo s'esquive vers la droite. Larry entre avec un seau d'eau et deux cafés, puis se dirige vers le comptoir.*

Larry

Le gars y est-tu là?

Sylvie

Le gars des panneaux?

Larry

Non! Le gars-commis!

Sylvie

C'est moi!

Larry

C'est vous l'gars?

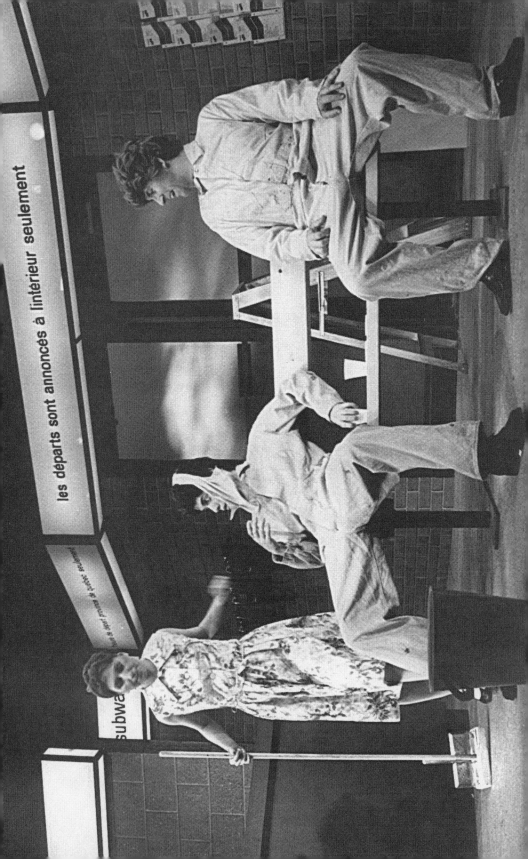

SYLVIE
Aïe, si c'est moi l'gars, c'est toi l'panneau!

> *Elle sort par (A). Mo rit, Larry l'aperçoit.*

LARRY
Mo!

MO
Allô Larry!

> *Ils se serrent la main.*

LARRY
Le boss est pas là?

MO
Ben non, on a un nouveau à matin.

LARRY
Veux-tu un café mon Mo?

MO
C'est beau ça!

> *Il prend son café. Les deux s'assoient lourdement sur le banc. Un bon temps. Ils regardent le néant.*

LARRY
Comme ça on a un nouveau à matin?

MO
Y a besoin de filer doux!

LARRY
Comment qui s'appelle Mo?

MO

Flo! Flo... Larry!

LARRY

Y a besoin d'filer doux!... As-tu été aux femmes hier au soir?

MO

Ouais!

LARRY

Pis?

MO

Ça rentrait par là! J'en ai vu deux, trois. (*Il rit.*)

LARRY

Maudit Mo!... Que c'est qui faut faire, Mo?

MO

Je sais pas, le boss est pas là!

LARRY

Y va-tu l'savoir lui?

MO

Supposé Larry!

LARRY

T'as pas la moppe, Mo?

MO

C'est le boss qui l'a! Le Flo. (*Il rit.*)

LARRY

Le Flo. (*Il rit lui aussi.*)

«Flo» arrive par (C). C'est Columba qui s'est déguisée en femme de ménage. Mais nos deux moineaux ne le savent pas.

COLUMBA

Bonjour mes blonds! Les filles sont pas arrivées?

MO

Qui?

COLUMBA

Les femmes de ménage!

LARRY

C'est nous autres!

COLUMBA

C'est vous autres, les filles?

LARRY

J'sais pas, là!

COLUMBA

Penses-y pis on s'en reparlera! (*Elle va vers le guichet.*) Bon, ben astheure que le break est fini, mes blonds, vous brasseriez-vous le derrière un peu, histoire de savoir si vous en avez un!

LARRY

T'es qui toé?

COLUMBA

Flo! (*Elle tend la main à Larry.*)

LARRY

Cibole! (*Il est étonné que le* boss *soit une femme.*)

COLUMBA

C't'un beau p'tit nom que t'as là toé!

MO

C'est pas toé le boss!?

COLUMBA

Oui monsieur! J'sais que c'est rare!... Mais j'haïs pas ça moé, être rare.

LARRY

C'est toé l'boss?

Il est complètement abasourdi.

COLUMBA

Aïe, reviens-en! On dirait que tu viens de trouver une coquerelle dans l'fond d'ton verre de bière.

MO

On n'est pas habitués, nous autres!

COLUMBA

Aux coquerelles?

MO

Non! à avoir une fille qui donne des ordres. Pas vrai Larry?

LARRY

Ouais!

COLUMBA

J'aime mieux donner des becs, mais sur la job ça me coupe la concentration! Ton nom, beau blond? (*Elle va se placer entre les deux gars et prend son café à Mo.*)

MO

Mo.

COLUMBA

Mo, Flo and Larry! Y a de quoi là, certain! Mo? Prends ton escabeau, pis monte en haut!

MO

(*À Larry.*) Larry! Prends l'escabeau, pis monte en haut!

> *Elle jette le café dans la poubelle.*

LARRY

(*Perdu.*) Minute! C'est qui l'boss?

COLUMBA

C'est moé!

MO

C'est elle!... qu'a dit! Envoye!

LARRY

O.K. boss!

> *Mo donne l'escabeau à Larry. Celui-ci l'installe au fond de la scène et monte dedans.*

COLUMBA

Prends le seau!

MO

Prends le seau!

> *Mo lui donne le seau.*

LARRY
O.K. boss!

COLUMBA
Prends le torchon, pis essuie le panneau!

MO
Prends le torchon, pis essuie le panneau!

LARRY
O.K. boss!

Larry s'exécute.

COLUMBA
Prends un autre coup d'eau!

MO
Prends un autre coup d'eau!

LARRY
O.K. boss!

Larry trempe son torchon.

COLUMBA
Mouille le torchon ben comme y faut!

MO
Mouille le torchon ben comme y faut!

LARRY
O.K. boss!

Larry brasse son torchon dans le seau d'eau.

COLUMBA

Pis étampe-moi-le sur le museau!

MO

Pis étampe-moi-le...

> *Mo n'a pas le temps de finir sa phrase: Larry lui écrase le torchon mouillé en pleine figure.*

MO

(*En colère.*) Es-tu fou l'épais! C'est pas moé l'boss! C'est elle!

> *Pendant ce temps, Columba a enlevé son déguisement de Flo et a repris sa voix normale. Mo et Larry reconnaissent, avec horreur, Columba.*

LARRY

MMM...o... C'est C...C...Columba!

MO

La détective antisexiste!

COLUMBA

C'est-tu clair, ou ben si vous avez besoin d'une couche de cire par-dessus ça?!

> *Larry et Mo s'esquivent au plus vite et sortent au centre (C).*

MO ET LARRY

C'est clair!... C'est clair!...

COLUMBA

(*Une fois seule.*) Sais-tu que chus après faire un maudit beau ménage moé, là?!

> *Elle sort en (D). On entend: «Rouyn-Noranda —*
> *Malartic — Val-d'Or — Grand-Remous, porte numé-*
> *ro huit (bis). Gate number eight.»*

SCÈNE 5

Fred, Christiane, Eddy «Éros» Sauli

Sur la sortie de Columba, Fred est entré par (A), il prend le micro.

FRED

(*Fait un cinquième appel*) Jean-Yves Lemieux, huit ans, est au guichet numéro un là! Y est venu rejoindre son p'tit frère Gaston, six ans, et sa p'tite sœur Marie, cinq ans. Madame Lemieux, toute votre p'tite famille est là, là!

Christiane entre par (B) et voyant Fred, elle fige; Fred la voit à son tour.

FRED

Oui?!?

Elle ressort rapidement par où elle est venue; Fred ne comprend rien et sort par (A); Christiane revient lentement par (B) en s'assurant que Fred n'y est plus.

CHRISTIANE

Ç'a pas d'bon sens! Faut que j'm'en sorte, faut que j'fonce!

Eddy «Éros» Sauli entre avec sa valise et se dirige rapidement vers le guichet. Christiane fonce vers lui avec son micro.

CHRISTIANE

Pardon monsieur!

EDDY

Oui!

Christiane lit dans son cahier.

CHRISTIANE

«Est-ce que vous avez l'habitude d'adresser la parole à des inconnus? Répondez-vous quand on vous adresse la parole? Portez-vous des vêtements sombres? Rougissez-vous facilement? Dans un ascenseur, êtes-vous porté à regarder défiler les chiffres au-dessus de votre tête?» Précisez!

EDDY

Hein?

CHRISTIANE

Euh... précisez s'il vous plaît!

EDDY

(*Un bon temps. Il réfléchit.*) Oui!

CHRISTIANE

Ben non! J'ai posé des questions, là! C'est pour l'université!

EDDY

Pis!

CHRISTIANE

(*D'une voix troublée.*) J'vas à l'université!

EDDY

C'est l'fun ça!

CHRISTIANE

Non... heu... non!

> *Elle s'effondre et recule maladroitement vers (D) où elle tente de s'effacer et disparaît. Fred entre par (A) et s'adresse à Eddy «Éros» qui regardait Christiane sortir.*

FRED

Oui?

> *Eddy «Éros» Sauli le regarde, lui fait signe de laisser faire et sort par (B). Fred va placer des dépliants de destination lorsque entre Eugène Sauli qui, lui, va au comptoir. Eugène Sauli a retrouvé sa valise*, mais n'a plus de souliers.*

---

* *Remarque:* Pour le jeu des valises entre Eddy et Eugène Sauli, il est essentiel que les deux aient chacun une valise absolument identique, du moins quant à l'apparence extérieure. Elles ne contiennent évidemment pas la même chose.

SCÈNE 6

Fred, Eugène Sauli

FRED

Oui monsieur?

Ils sont tous les deux devant le banc.

EUGÈNE

Pardon monsieur, j'ai perdu mes souliers!

FRED

Y étaient comment, vos souliers?

EUGÈNE

Y étaient ben smattes! En vingt ans, j'ai jamais eu de troubles avec!

FRED

Êtes-vous sûr que vous les aviez en arrivant au terminus?

EUGÈNE

J'comprends pas ça! J'sors jamais sans mes souliers!

FRED

Ouais, c't'embêtant! Écoutez, la seule chose que vous pouvez faire, c'est d'vous en acheter d'autres!

EUGÈNE

J'ai perdu mon porte-monnaie!

FRED

Ah ça! Les porte-monnaie, aujourd'hui, faut quasiment les attacher!

EUGÈNE

Pourtant, j'avais attaché mes souliers! (*Et il va s'asseoir sur la chaise T.V.*)

FRED

Pauvre vous! La vie est dure pour tout l'monde! C'est la vraie misère, monsieur! (*Un temps.*) Bougez pas, j'pense que j'ai quelque chose pour vous! (*Il va derrière le guichet et revient avec une paire de pattes de grenouille.*) La seule chose que je peux vous prêter, c'est ça! Y ont jamais été réclamées! (*Sauli le regarde sans comprendre.*) Attendez, je vas vous les... (*Comme un vendeur de chaussures, Fred se penche aux pieds d'Eugène et lui chausse les palmes. Il lui en met une.*) On est chanceux, hein? (*Il lui installe l'autre.*) Pas trop serrées?

EUGÈNE

Juste ben! (*Fred retourne derrière son comptoir. Un grand temps. Sauli regarde ses pattes de grenouille puis, gêné, essaie de les camoufler, soit en les mettant l'une sur l'autre, soit en se croisant la jambe ou finalement en les repliant sous le banc.*) J'attends mon cousin... Eddy! Y va me conduire au cimetière!

FRED

Eddy qui?

EUGÈNE

Sauli, Eddy Sauli!

Fred prend son micro.

FRED

Eddy Sauli. Bougez pas! (*Dans son micro:*) On demande monsieur Eddy Sauli au guichet numéro un! Monsieur Eddy Sauli. En passant, si madame Lemieux pouvait passer, ça nous aiderait!

> *Eddy «Éros» Sauli entre, très affairé, par (D). Fred sort en (A).*

EUGÈNE

Eddy! Eddy!

> *Eugène se lève et va vers Eddy. Il place sa valise devant celle de son cousin.*

EDDY

Eugène! Justement ch'te cherchais, toé! Ça s'peut-tu, ça s'peut-tu? Tu parles au sorcier, toi!

EUGÈNE

C't'à toé que j'parle, Eddy!

EDDY

Ça s'peut pas, chus pas là!

> *Eddy est mal à l'aise, il avait visiblement oublié que son cousin lui rendait visite.*

EDDY

J'veux dire que chus à moitié là. Mon cher Eugène... (*Il chante.*) Cher Eugène, cher Eugène... Ouais! J'ai été retardé, j'avais perdu ma valise, toé, là.

EUGÈNE

La vie est soda, étoile!

EDDY

Soda rare, vieux! Soda rare! À tel point que... je peux pas
te recevoir en fin de semaine comme prévu... heu... C'tu
assez soda, toé!... Chus pogné avec un client, tsé, heu...
j'peux pas... tsé... j'peux pas... (*Malaise.*) Mais chus
content de te voir!... T'as l'air bien, tu...

EDDY

(*Voit les pattes de grenouille de son cousin.*) T'as... t'as l'air
bien!... En tout cas... Si jamais tu viens à Montréal, ap-
pelle-moi, ça me fera plaisir! O.K.? Salut, pis lâche pas.
Lâche pas! (*Il prend sa valise, la mauvaise, sans s'en aperce-
voir. Il s'apprête à sortir, puis se ravise et revient vers Eugène.*)
Oh, by the way, Eugène... heu... tu sais que je fais dans
le sexuel, moé, maintenant, hein? (*Il lui donne sa carte.*) Ça
fait que si jamais t'as le goût de te faire chanter l'pinson,
tsé!... J'ai toutte c'qui faut pour noyer l'trémolo... J'te
ferai un prix de famille! Salut! Pis lâche pas!

*Il sort en (D). Eugène reste sur place, complètement aba-
sourdi, regardant la carte d'Eddy. Jojo entre par (D).*

SCÈNE 7

Eugène Sauli, Jojo, Légaré

JOJO

Écrivaine publique loue ses services… (*Elle voit Eugène et ses pattes de grenouille.*)

EUGÈNE

J'aurais faim moé, y a pas un parc icitte, pas loin, j'me sens un peu étourdi!

JOJO

Y a juste un arbre pis ils l'mettent à Noël!

EUGÈNE

La vie est soda, hein?

JOJO

Soda rare!

EUGÈNE

Étoile!

> *Eugène sort péniblement avec l'autre valise. Légaré, qui arrivait, le regarde sortir avec un sourire puis, voyant Jojo, se dirige vers elle.*

LÉGARÉ

Tiens vous l'avez trouvé votre cosmonaute!

JOJO

Ben! J'en ai pas vu un autre comme toi jusqu'à maintenant!

LÉGARÉ

Qu'est-ce que vous voulez dire au juste?

JOJO

Penses-y!

LÉGARÉ

Écrivaine publique? Vous faites-ça depuis longtemps?

JOJO

(*Elle rit.*) Pas tellement. Avant, j'étais réceptionniste dans
une agence de rencontre.

LÉGARÉ

Vous avez toujours été attirée par les objets perdus, quoi!

JOJO

Par les hommes aussi.

LÉGARÉ

Pourquoi vous portez juste un gant?

JOJO

J'ai perdu l'autre dans l'autobus.

LÉGARÉ

Ben moi c'est l'autobus que j'ai perdu, ça tombe mal!

JOJO

Ça tombe mal, oui.

LÉGARÉ

Ça doit pas être chaud pour l'autre main, ça!

JOJO

Ayez pas peur, a se réchauffe facilement. (*Elle lui tend sa main libre.*)

LÉGARÉ

Elle écrit bien surtout! (*Il lui baise la main. Elle sort.*)

JOJO

Achetez mes lettres d'amour! Seulement cinquante sous, vingt-cinq pour les fous! Lettres d'amour...

LÉGARÉ

(*Pour lui-même.*) Elle est complètement folle, elle!

St-Georges Saucier, Légaré, Christiane

St-Georges entre par (A) et va derrière le comptoir.

ST-GEORGES

Alphonse. Alphonse, excuse-moé de te déranger!

LÉGARÉ

Non, non, c'est correct!

ST-GEORGES

J'ai un renseignement de la plus haute importance à te demander!

LÉGARÉ

Comment ça marche avec Gervais?

ST-GEORGES

Gervais, m'as te l'faire éclore comme un p'tit poulet, blasphème!

LÉGARÉ

Ah, merci!

ST-GEORGES

Dis-moé donc, quand t'as eu ton accident, toé...

LÉGARÉ

Ouais!

ST-GEORGES

Étais-tu assis en avant?

LÉGARÉ

Ben, je le jurerais pas sur la tête de mon père, mais comme c'était moé le chauffeur, ça s'pourrait!

ST-GEORGES

T'es sûr de ça?

LÉGARÉ

Ben voyons, St-Georges!

ST-GEORGES

Bon, chus ben content d'apprendre ça! Ça change tout le problème, blasphème!

LÉGARÉ

Comment ça?

ST-GEORGES

Parce que c'est pas juste le code d'la route qu'y faut r'mettre en question, ti-gars! C'est tout le système, blasphème!

LÉGARÉ

Quoi, le système de freins?

ST-GEORGES

Hein?

LÉGARÉ

De quel système tu parles?

ST-GEORGES

Le système qu'on vit, ti-gars! C'est pas quand tout l'monde va être rendu des assassins que ça va être le temps de réagir.

LÉGARÉ

Attends, j'te suis pas!

ST-GEORGES

Non, tu m'suis pas, tu restes icitte pis t'attends! Moé, j'vas rebrasser Gervais avant qu'y refroidisse! (*Il sort par (A)*.)

LÉGARÉ

(*Crie à St-Georges qui est déjà sorti.*) Attendre, attendre, attendre! C'est facile à dire! Pendant c'temps-là, y s'passe rien! Tout c'que j'veux, c'est ma job. (*Christiane entre par (D) et voit Légaré. Elle décide de l'interviewer.*) Non, mais vous avez tous l'air à penser que chus un imbécile, par rapport que j'ai fait un p'tit accident juste... (*Légaré voit Christiane, le micro pointé vers lui.*) ... Je le sais! Je le sais! J'aurais dû lui dire quand il était là! (*Il sort par (B), suivi de Christiane, découragée.*)

SCÈNE 9

Paul-Edmond

*Paul-Edmond entre par (D) et va directement au télé-
phone.*

PAUL-EDMOND

Allô, mademoiselle? Je voudrais faire un longue distance
à Arvida, s'il vous plaît, à frais virés, au numéro 548-
88... Oui! c'est ça!... Non, Edmond, c'est Paul-Edmond
Gagnon. Merci!... Allô, Johanne? Ça va mieux, là?...
Comment ça, c't'une question stupide, c'est pas une question stupide!... Ben oui, mais je fais c'que j'peux... Ben
écoute, j'ai rejoint le curé... Bon, lui y dit que la seule solution, ben, c'est de faire ça au téléphone!... Ben oui, au
téléphone... J'vas suivre la cérémonie par téléphone...
Non, non... Tout c'que t'as à faire, c'est de te rendre à
l'église à trois heures comme prévu... avec toute la famille... Ben non, mets ta robe, fais comme si j'étais là!
... Bon! T'expliqueras ça à ta mère!... O.K. Je te rappelle
à l'église à trois heures moins deux. Oh, Johanne, demande à mon oncle Maurice qu'il le filme, j'aimerais ça
voir ça! (*Il raccroche et sort.*)

*On entend: «Québec — Plessisville — Victoriaville —
Richmond — Sherbrooke — Newport, porte numéro
onze, gate number eleven.»*

SCÈNE 10

Christiane, Marc

Christiane entre comme une âme en peine. Arrive un voyageur: Marc. Il est très pressé et encore plus timide que Christiane. Quand il arrive près d'elle, elle l'intercepte. Elle décide d'employer la manière forte. Elle crie.

CHRISTIANE
Aïe, le taon!

MARC
Hein?

CHRISTIANE
Es-tu gêné, toé?

MARC
Quoi?

CHRISTIANE
J'te demande si t'es gêné, c't'une question qui se demande, non?

MARC
Oui!

CHRISTIANE
Bon ben, si ça s'demande, ça s'répond.

MARC
(*Crie.*) O.K.!

CHRISTIANE
Réponds!

MARC
(*Sur le même ton.*) À quoi?

CHRISTIANE
À ma question!

MARC
Laquelle?

CHRISTIANE
Es-tu gêné, es-tu sourd?

MARC
Les deux!

CHRISTIANE
Hein?

MARC
Chus pas gêné, pis chus pas sourd! Arrête de crier!

CHRISTIANE
O.K.!

MARC
Ben crie pas!

CHRISTIANE
Toé non plus!

MARC
Ça va mieux, là?

CHRISTIANE

Oui!

Un temps. Les deux décompressent.

MARC

(*Ton normal.*) Tu parles d'une crise, toé!

CHRISTIANE

C'est pas une crise, c'est une tactique!

MARC

Pourquoi?

CHRISTIANE

Une tactique contre la gêne!

MARC

Ah… ben crie pas après moi, O.K.?

CHRISTIANE

O.K.!

MARC

Parce que moi, quand l'monde crie après moi, j'viens tout mal!

CHRISTIANE

Moi aussi! Quand j'étais p'tite, là, mon père y m'criait tout l'temps après!

MARC

Toi aussi, hein? (*Un temps. Puis, avec un grand sourire.*) Aïe! ça marche ta tactique! J'me sens ben moins gêné avec toi, moi… Toi?

CHRISTIANE

Oui! (*Ils rient.*)

MARC

Ça t'tente-tu qu'on aille prendre un chocolat chaud? (*Se rentre la tête entre les épaules comme s'il avait peur d'être frappé. Christiane perd pied.*)

CHRISTIANE

... Euh, non, j'peux pas!... j'ai des entrevues à faire... ah, c'est plate... Bon, ben merci beaucoup!... Euh... c'tait l'fun... On a bien mangé... Euh... Au revoir. (*Elle se dépêche de sortir.*)

MARC

(*Crie.*) Mademoiselle!... Mademoiselle! (*Il ne va pas plus loin. Il s'en va dans la direction opposée.*)

Columba, Simon Prude

Notre détective Columba entre. Cette fois-ci, elle n'est pas déguisée. Elle a son imperméable, son bandeau sur l'œil et son chapeau. Elle regarde partout pour voir si elle est seule, puis se dirige vers un des téléphones publics. Elle décroche, compose un numéro, puis...

COLUMBA

Bonne fête, Bobinette!

Elle raccroche. Au même moment, sur le mur du fond à gauche, l'un des trois téléphones intérieurs se déplace. Une main gantée de noir en sort, tenant une poupée et un dossier. Columba se dirige vers la main, prend le dossier et la poupée, serre la main, puis replace le téléphone. Elle se dirige vers le banc. Sur la poupée, il y a une ficelle sur laquelle il faut tirer pour la faire parler. Columba tire la ficelle, consulte le dossier. On entend la voix de la poupée.

POUPÉE

Columba, votre journée s'achève par un des cas les plus complexes de votre carrière. L'homme que vous voyez sur cette photo est Simon Prude, le célèbre psychanalyste. Sa femme vient de le quitter pour un joueur de hockey de la ligue junior A du Quebec. Il bad trippe! Attention Columba!... Il est dangereux!... Bonne chance!... Cette poupée se détruira d'elle-même dans une seconde!

> *Columba se dirige vers la sortie (C), jette la poupée dans la poubelle et sort. La poupée explose. (Le trucage est dans la poubelle.) Simon Prude entre par (B) et vient au guichet. Columba, déguisée en femme fatale, entre par (D), se rue sur la porte (C) qu'elle entrouvre, et se met à crier comme si elle parlait à quelqu'un à l'extérieur.*

COLUMBA

(*Elle crie, effondrée.*) Non! (*Elle pleure. Dans son chagrin, elle s'adresse, en regardant les autobus, à son amant parti.*) Pourquoi me quitter, m'abandonner comme un chiffon «J» jetable après usage? Je n'aurai été qu'un terminus d'oubli entre ta femme et tes enfants. (*Elle lui crie sa tendresse.*) Si tu crois que j'ai le beau rôle, c'est elle qui dort sur ton épaule! (*Larmes.*) Tu ne peux pas me faire ça!

> *Simon Prude se dirige vers elle. Il a sorti un carnet et un crayon. Il prend des notes.*

SIMON

Permettez-moi, madame! Si je puis être de quelque secours que ce soit, je suis complètement psychanalyste!

COLUMBA

Il m'a quittée... mon Amour, mon grand! Mon Gibraltar géant! Sauveur de ma schizophrénie zébrée d'amertume! (*Sanglots.*) Moi, seule, dans cette foule... rouge!

SIMON

Continuez! Continuez! (*Il écrit dans son calepin.*)

COLUMBA

(*Criant à son amant parti.*) Pourquoi m'abandonner comme une amante perfide? Seule et schizoïde! J'erre dans ce terminus, je ne suis rien sans ton prépuce!

SIMON

L'errance! Symbole du «moi» caché! Elle veut faire passer incognito son complexe de castration!

COLUMBA

Pourquoi me laisser sans gîte où vagir quand l'hiver givre mon corps nu?

Simon la fait asseoir au banc centre.

SIMON

Détendez-vous, calmez-vous, assoyez-vous! Vous vous sentez mutilée, humiliée, faible et femme! Mais je suis là, moi, avec ma barbe et mes organes!

COLUMBA

Il déchire ma vie en allant rejoindre sa femme dans l'Estrie!... Le divorce est au-dessus de ses forces! (*Elle crie de douleur.*)

SIMON

(*Il va s'asseoir près d'elle.*) Allons, allons, calmez-vous!... Vous voyez, je ne pars pas, moi!... Non, je veux vous traiter! Je veux vous prendre par la main dans le noir tunnel de l'analyse, jusqu'à ce que revienne le matin.

COLUMBA

Je meurs en revoyant ses pantalons; je deviens écarlate au souvenir de sa cravate!... Homme dont la verge lisse et «lousse» pousse comme un vilebrequin dans mes reins d'angoisse!

SIMON

(*Se lève et va derrière Columba.*) La vie est étrange! Ma femme vient de me quitter et je cherchais désespérément dans ce terminus une réponse à l'énigme clitoridienne. Et je vous trouve, vous, suicidaire, fragile et névrotique. Je peux vous sauver de la folie!

COLUMBA

Mais docteur, je suis l'esclave de l'amour, je n'ai plus d'ego!

SIMON

Vous n'en avez pas besoin.

COLUMBA

Comment?

SIMON

(*Il commence à lui masser les épaules.*) Détendez-vous! Calmez-vous! Laissez mes mains dissiper votre stress! Votre corps veut connaître mes caresses! La peau n'a pas d'ego.

COLUMBA

Ah, mais docteur, vos paroles me font perdre la tête. (*Elle rit.*)

SIMON

Le plaisir n'a pas de tête!… Vous avez tout ce qu'il faut pour jouir!

COLUMBA

C'est vrai, comme je suis bête, mais docteur, je suis triste, au fond je n'ai pas de pénis!

SIMON

J'en ai un pour vous! Belle créature! Allons, je vous emmène chez moi dans ma voiture.

COLUMBA

Chez vous?

SIMON

(*Vient s'asseoir à côté d'elle.*) Oui, pour le traitement, je vous veux toute nue.

COLUMBA

Ah, docteur, ça fait longtemps que je rêve à vous!

SIMON

Continuez! Continuez!

COLUMBA

(*Se lève et va derrière lui.*) Docteur! À quoi pensez-vous si je dis «valise»?

SIMON

Eh bien, je vois une femme nue, en sous-vêtements!

COLUMBA

Et si je dis «aller-retour»?

SIMON

Je me vois pénétrant la valise!

COLUMBA

Dites-moi, docteur, combien voyez-vous de valises?

SIMON

Mais toutes les femmes sont des valises!

COLUMBA

(*Enlève sa perruque, met son bandeau sur l'œil et son chapeau.*) Atta boy Sigmund! C'est la fin d'un grand, grand cauchemar!

SIMON

(*Horrifié.*) Columba! La détective antisexiste!...

COLUMBA

Suis-moi, on va mettre Œdipe sur le divan! T'aimes ça les barreaux! Ben, tu vas pouvoir en pogner d'autres que l'tien!

SIMON

Non! Non!...

Ils sortent par (D), Columba en tête qui traîne Simon par les menottes.

SCÈNE 12

Minou, Pitou, monsieur «X»

Pitou entre par (B). Il porte deux petites valises. Il se retourne vers la coulisse et crie à quelqu'un.

PITOU

Minou! Minou! Laisse faire, je l'ai payé le taxi!... Je l'ai payé... (*Pour lui.*) Que c'est qu'a fait donc là! (*Il vient s'asseoir sur le banc.*)

Minou entre, portant trois grosses valises et va s'asseoir à côté de lui.

PITOU

Bon, Minou, sors le cahier qu'on écrive le taxi. (*Elle sort le cahier.*) Six dollars et quatre-vingt-dix plus le tip dix sous... Bon, sais-tu, Minou, si on pouvait s'en tenir à cinquante dollars pour la première journée, ça s'rait parfait.

MINOU

Ben voyons, Pitou, on s'était donné jusqu'à soixante-quinze dollars pour aujourd'hui, moi j'pense qu'on devrait aller jusque-là!

PITOU

Mais Minou, si on pouvait sauver vingt-cinq dollars le premier jour, ça s'rait ben mieux; on pourrait aller voir une vue demain soir. J'suis sûr qu'à Ottawa, y'ont des vues qu'on n'a pas ici!

MINOU

Bon, O.K. (*Avec un sourire.*) Dans c'cas-là, demain, on n'aura pas besoin de cinquante-cinq dollars mais seulement trente parce qu'y va nous en rester vingt-cinq sur aujourd'hui.

PITOU

(*Sourire.*) Oui Minou, mais on sait jamais, y a peut-être des extra au Holiday Inn! J'sais pas, moi, y ont peut-être une salle de quilles!... On pourrait y aller demain après-midi!

MINOU

Ben non, mon Pitou, demain à quatorze heures, on va prendre une marche pis après, y faut r'venir à la chambre pour en discuter, garde, c'est ça qu'on avait décidé.

PITOU

Ben oui, mais Minou...

MINOU

Pitou, c'est le moniteur qui nous a conseillé ça, «pour rétablir le contact»...

Le sourire de Pitou se fige.

PITOU

O.K., on va laisser faire les quilles!

MINOU

Bon ben, dans c'cas-là, Pitou, on peut prendre vingt-cinq dollars de plus aujourd'hui.

PITOU

(*Commence à être excédé.*) Non, non, Minou, j'aimerais mieux pas le dépenser, on sait jamais.

MINOU

Pourquoi?

PITOU

Parce que ça, Minou, c'est pour les imprévus.

MINOU

(*Commence à être excédée.*) Ben oui, mais Pitou, y en aura pas d'imprévus, on a toutte prévu.

PITOU

On sait jamais, Minou.

MINOU

O.K., Pitou. O.K., mais on va dire qu'on garde douze dollars cinquante pour tes imprévus à toi pis moi, j'ai l'droit d'prendre l'autre douze dollars cinquante pour mes imprévus à moi.

Le ton monte.

PITOU

Minou, si y nous arrive un imprévu à toués deux, mettons de vingt dollars, hein?

MINOU

Dans c'cas-là, j'te devrai... attends. (*Elle fait le calcul.*)... J'te devrai sept dollars cinquante en r'venant à Montréal.

PITOU

(*Se fâche.*) Ben oui, mais si on en a besoin à Ottawa, on l'aura pas, même si tu me l'donnes en revenant à Montréal.

MINOU

(*Se fâche aussi.*) Bon, ben O.K. Pitou, mettons... (*Elle recalcule.*) Vingt dollars pour les imprévus à deux, pis deux dollars cinquante chaque jour pour les imprévus personnels.

PITOU

(*Crie.*) Ben oui, mais Martine, si c'est un imprévu de vingt-deux dollars!

MINOU

(*Crie.*) Ben voyons donc, Gilles, y en aura pas d'imprévu de vingt-deux dollars, t'as toutte prévu.

PITOU

(*Hurle.*) On sait jamais!

MINOU

(*Hurle.*) On sait jamais rien avec toé!

> *On entend un appel d'autobus: «Québec express porte numéro dix (bis). Gate number ten.» Les deux se calment. Un temps.*

MINOU

J'm'excuse, Pitou.

PITOU

Ben non, c'est moi.

MINOU

Ben non, c'est moi.

PITOU

On n'est pas pour se chicaner pour une question d'argent.

MINOU

Surtout pas dans notre fin d'semaine de couple!

> *Ils veulent s'embrasser, mais ne savent plus comment. Ils abandonnent.*

MINOU

Bon, O.K., Pitou, j'vas marquer ça. (*Elle veut prendre le cahier des mains de Pitou.*)

PITOU

Non, j'vas l'écrire, moi!

MINOU

J'aimerais ça l'écrire, Pitou!

PITOU

(*Se fâche encore.*) J'ai l'crayon, là, Minou, j'vas l'écrire, ça va aller plus vite!

MINOU

(*Se fâche aussi.*) Mais oui, mais Pitou, j'aimerais ça prendre plusse de place dans les décisions économiques; on en a parlé l'autre jour avec le moniteur...

PITOU

(*Hurle.*) Bon, O.K., écris-lé. (*Il lui jette presque le cahier à la figure. Minou n'en revient pas.*) Excuse-moi, là! Excuse-moi! Écris ça: une heure cinquante, nous étions d'accord sur l'argent.

MINOU

Réflexion: «En communiquant, l'argent n'est plus un problème.»

*Sur ce, monsieur «X» entre par (D) en lisant une revue.
En passant devant Minou et Pitou, il trébuche dans leur
tas de valises.*

PITOU

(*Il commence à rassembler ses valises.*) Excusez-moi, j'vas tasser mes valises, le monde vont arrêter de se casser la gueule! Vous vous êtes pas fait mal, toujours?

MONSIEUR «X»

Non! (*Il va s'asseoir au banc T.V. Un bon temps.*)

MINOU

On en a-tu des bagages quand on part en voyage, han?

Monsieur «X» sourit discrètement.

MINOU

Allez-vous à Ottawa, vous aussi?

MONSIEUR «X»

Oui!

MINOU

Vous êtes en voyage, vous aussi?

MONSIEUR «X»

Non.

PITOU

Ah. Vous restez à Ottawa?

MONSIEUR «X»

Oui, c'est ça.

PITOU

Dites-moi donc, l'hôtel, c'est-tu ben loin du terminus?

MONSIEUR «X»

Ça dépend d'l'hôtel!...

PITOU

Ah bon, parce que Minou et moi... Mon épouse et moi, on avait peur que ça coûte cher de taxi si ç'avait été loin! Ben oui, on connaît pas tellement ça, Ottawa, on s'en va passer la fin d'semaine.

MINOU

Trois jours, c'est pas beaucoup mais, après cinq ans, c'est dû. C'est comme un deuxième voyage de noces concentré. Après cinq ans, ç'a pas besoin d'être aussi long, on s'connaît mieux mais quand même, le contact se perd des fois. C'est dû pour un rebranchement... ça améliore le couple.

Monsieur «X» fait un signe de tête affirmatif et paraît de plus en plus intrigué.

PITOU

Ç'a l'air de rien, mais c'est pas toujours facile. Mais avec le temps, on fait tout, pas vrai? (*Pause.*) Ho! c'est une belle réflexion, ça, Minou! J'vas l'écrire. (*Il veut prendre le cahier, Minou refuse. Il la regarde avec un œil de «porc frais».*) Réflexion: «Avec le temps, on fait tout.» (*Minou écrit, puis regarde monsieur «X».*)

MINOU

On les écrit pour pas les oublier, après, plus tard, quand on les relit, ça aide pour comprendre ce qu'on oublie d'habitude.

Le temps passe.

PITOU

Ah! les femmes, hein?

Le temps passe.

PITOU

Si l'union n'existait pas, j'sais pas c'qu'on ferait!

MINOU

Êtes-vous marié?

MONSIEUR «X»

Pas vraiment.

PITOU

Ça risque de vous arriver, vous aussi. Nous autres, ça a pris comme ça. (*Claque des doigts.*) Mais avec nos deux jobs, on s'voyait quasiment pus, ça fait qu'on s'connaissait pus... Enfin, bien moins mieux!

MINOU

Oui mais là, avec le moniteur qui coach notre couple une fois par semaine, ça va de mieux en mieux. C'est comme si on essayait de se d'mander en mariage à toués jours!... C'est le renouveau!

PITOU

Partir comme ça, trois jours, le moniteur dit que «c'est le jogging de la relation». (*Il se lève et va vers monsieur «X».* *Il lui donne une carte.*) J'ai sa carte! Y est vraiment très bon! Partir comme ça trois jours, ça active toutte, pis ça t'oblige à penser sur toi, pis à communiquer avec l'autre.

MINOU

(*S'approche aussi.*) Ah oui. Moi, ça m'aide de mieux en mieux pour mon amour.

PITOU

Si on pouvait faire ça pendant vingt ans, on s'ramasserait un maudit beau couple à la fin de nos jours. C'est ça l'essentiel, toé là! Vieillir en beauté parce que de toute façon, on va mourir toutte pareil!

MINOU

Oui, oui. Mais pas l'amour si y est bien entretenu!

PITOU

Cinq ans, c'est dur pour conserver l'original, tsé!

MINOU

Ben oui! C'est pour ça qu'on va à Ottawa.

Monsieur «X» n'en peut plus. Il a le fou rire. Il sort en riant. De dos, on dirait qu'il pleure.

MONSIEUR «X»

Ça s'peut-tu? Ça pas d'bon sens!… Ça a pas de bon sens!

Pitou et Minou le regardent sortir.

MINOU

Réflexion: «Face à notre amour, un homme pleure sa solitude.»

On entend: «Ottawa express, gate number seven. Ottawa express, gate number seven.» Pitou et Minou se ruent sur leurs valises. Minou, cette fois-là, n'en prend que deux. Pitou prend ses deux du début. Minou s'apprête à sortir.

PITOU

T'oublies une valise, là, Minou.

MINOU

Prends-la toé, Pitou! (*Elle sort.*)

PITOU

Comment «prends-la toé, Pitou!»?... Je le savais!... Je le savais que je serais pogné avec les bonyieux de chapeaux! Je le savais. (*Il sort en engueulant Minou.*)

SCÈNE 13

Fred, madame Lemieux,
Marie Lemieux, Christiane

Fred entre par (B) avec un bébé dans les bras. Il est visi-
blement épuisé. Il prend son micro.

FRED

Jean-Yves Lemieux, huit ans. Gaston Lemieux, six ans et
Marie Lemieux, cinq ans, sont toujours au guichet numéro un. On a retrouvé aussi leur p'tit frère Éric, dix-huit
mois. Madame Lemieux! Là, y manque pus rien qu'vous
pis monsieur Lemieux! Si ça vous tente de v'nir faire un
tour au guichet numéro un, nous autres ici, on serait bien
contents!

Madame Lemieux arrive par (D) en courant et en por-
tant son sac d'épicerie.

MADAME LEMIEUX

C'est moi, madame Lemieux. Des monsieurs Lemieux, y
en n'a plus. Trop, c'est trop!

FRED

Madame Lemieux, vos enfants sont ici depuis un bout de
temps, là!

MADAME LEMIEUX

Ben oui, je l'sais. Mais moi, j'finis jamais de travailler avant deux heures et demie.

FRED

Pardon?

MADAME LEMIEUX

Y ont pas été trop malfaisants, toujours?

FRED

(*Surpris.*) Euh… non.

MADAME LEMIEUX

Le p'tit, y a eu son boire de midi?

FRED

Euh… oui!

MADAME LEMIEUX

Bon, parfait! Merci beaucoup, j'vas les ramener à la maison!

Elle reprend son bébé.

FRED

Ben j'espère bien, madame Lemieux, parce qu'on n'est pas une garderie, ici!

MADAME LEMIEUX

Ouan! ben justement, parlons-en! C'est pas ça qui pleut dans l'boutte, les garderies. C'est pour ça que moi, j'suis obligée d'les laisser, le matin, dans des endroits publics. Mais faites-vous-en pas, y savent ce qu'ils ont à faire!

FRED

Euh?...

Elle s'en va vers la sortie (A).

MADAME LEMIEUX

Allô mes trésors! Avez-vous aimé ça, les autobus?

Elle sort en coulisse.

VOIX DES ENFANTS

Oui... oui... oui...

VOIX DE MADAME LEMIEUX

Demain, maman va touttes vous amener à la Place Ville-Marie!

VOIX DES ENFANTS

Oui, oui!

VOIX DE MADAME LEMIEUX

Marie, va montrer ton beau cadeau au monsieur!

Marie revient avec un masque de E.T.: Fred a la peur de sa vie.

FRED

Ahahahahah !!!

MARIE

(*Enlève le masque.*) J'vas revenir te voir, monsieur!

FRED

Non, tu reviendras pas!

MARIE

Oui, je vas revenir!

FRED

Non! Non!

> *Marie sort. Christiane revient par (D). Elle hésite un moment, puis s'avance vers le guichet. On entend: «Québec express, porte numéro onze. Québec express, gate number eleven!»*

FRED

Oui?

CHRISTIANE

Non!

FRED

Non?

CHRISTIANE

Oui! (*Elle s'approche, son micro à la main.*) C'est pour l'Université du Québec!

FRED

Québec? Dépêchez-vous, l'autobus part dans trente secondes! (*Il lui tend un billet.*) C'est vingt-huit piasses!

CHRISTIANE

Euh... non.

FRED

(*Excédé.*) Vingt-huit piasses!

> *Terrorisée, Christiane préfère prendre de l'argent dans sa sacoche et le donner à Fred. Celui-ci lui donne son billet.*

FRED

Quai numéro onze.

Christiane sort lentement vers (D).

FRED

Nooooon. Mademoiselle! Le quai numéro onze, c'est par là! (*Il va la chercher et l'entraîne de force vers la sortie (C).*)

CHRISTIANE

Non!… euh… non!…

FRED

(*À quelqu'un en coulisse.*) Roger! Embarque-la donc! A d'l'air perdue, celle-là! (*Il pousse Christiane vers la coulisse.*)

Sylvie sort de (A) avec son manteau. Sa journée est finie.

FRED

(*À Sylvie.*) Non, mais faut tout faire, icitte!

Il sort en (B). Sylvie sort en (D).

SCÈNE 14

Gervais, St-Georges Saucier, Légaré, Jojo, la vieille dame

Gervais entre par (A) suivi de St-Georges Saucier. Ils ont négocié toute la journée, Gervais est visiblement exténué.

GERVAIS

St-Georges! Parles-en à ton député, au ministre, au président des États-Unis si tu veux, j'me mêle pus de d'ça!

ST-GEORGES

C't'à toé que j'vas en parler, Gervais, pis tu vas te lever deboutte, pis tu vas t'assire, pis tu vas négocier!

GERVAIS

La compagnie a pus rien à négocier.

ST-GEORGES

Veux-tu que j't'envoye cinquante autobus sur ton gazon demain matin, toé?

GERVAIS

St-Georges, moi j'peux pus négocier! La sécurité du public, on joue pas avec ça, j'ai été chauffeur, je le sais!

ST-GEORGES

Ben, si t'as été chauffeur, Régis Gervais, tu devrais savoir que nos travailleurs sont su'l bord du suicide! Le siège du chauffeur est placé ben que trop en avant!

GERVAIS

Que c'est qu'tu dis là, toé?

Légaré entre par (B) et les aperçoit tout à coup.

ST-GEORGES

J'te dis qu'en cas d'accident, c'est toujours le chauffeur, qui est fessé le premier, blasphème! Pas vrai Alphonse?

LÉGARÉ

Ouais!

GERVAIS

Ton objection est valable, St-Georges, mais comme tu veux que tes chauffeurs chauffent, je pense que t'aurais avantage à pas les asseoir trop loin du volant! Tu penses pas?

LÉGARÉ

Y a un point, là, lui.

ST-GEORGES

Alphonse, mêle-toé pas de ça, veux-tu? Gervais, on exige que le siège du chauffeur soit reculé de onze pouces et quart à raison de deux pouces et 7/8 par année sur une base de cinq ans, indexable au système métrique. On bougera pas là-dessus!

GERVAIS

(Va s'asseoir sur le banc du centre.) On a déjà parlé de ça, St-Georges! La compagnie offre six pouces, me semble que

c'est raisonnable. On recule pas devant nos responsabilités!

ST-GEORGES

(*Le rejoint, derrière le banc.*) Assassin! Assassin!

GERVAIS

Si on recule les chauffeurs, y faut raccourcir les autobus!… J'ai pas de budget pour ça, moé!

ST-GEORGES

Onze pouces et quart, pas un pouce de moins, c'est à prendre ou à laisser!

GERVAIS

(*Se lève et va à un bout du banc.*) Bon O.K., O.K., huit pouces?

Gervais est à l'autre bout et Légaré au centre.

ST-GEORGES

Dix pouces et demi, c't'à prendre ou à laisser!

GERVAIS

Neuf pouces d'abord!

ST-GEORGES

Neuf pouces et trois quarts, c't'à prendre ou à laisser.

GERVAIS

Neuf pouces et demi, on n'en parle pus!

ST-GEORGES

Neuf pouces et demi? O.K., parfait!

LÉGARÉ

Comme ça, moé j'peux prendre la route? C'est ça?

GERVAIS

Alphonse, veux-tu s'il vous plaît pas nous achaler avec ça!
Toé, tu t'en vas aux objets perdus, pis tant que moé, j'vas
être icitte, toé, tu vas être là! C'est-tu clair, ça?

LÉGARÉ

T''entends ça, St-Georges?

ST-GEORGES

J'entends, ti-gars, j'entends! Mais comprends-moi bien:
la situation est délicate! T''es devenu un symbole!

LÉGARÉ

Moé?

ST-GEORGES

Tu reprends le volant, t'es chauffeur!

LÉGARÉ

Ben oui!

ST-GEORGES

Mais tu t'en vas aux objets perdus, là tu deviens un
moyen de pression! Pis ça, ti-gars, c'est ben plus percu-
tant, blasphème!

Alphonse n'en croit pas ses oreilles. Il montre son poing.

LÉGARÉ

Ah ben! J'en ai un beau icitte, moé, un moyen d'pression!
M'a te le percuter oussé que j'pense! (*Il empoigne St-Georges
par le collet et s'apprête à le frapper.*)

ST-GEORGES

Alphonse, fais pas ça! Alphonse…

Gervais intervient et lui bloque le poing.

GERVAIS

Alphonse, arrête! Alphonse!...

LÉGARÉ

Toé, Gervais! (*Légaré soulève Gervais et l'assoit sur le comptoir. Il va le frapper. St-Georges le retient.*)

ST-GEORGES

Fais pas ça, Alphonse. La violence, ça donne rien!

Légaré se retourne vers St-Georges. À ce moment-là, Jojo entre par le centre (C). Alphonse la voit et se dirige vers elle.

LÉGARÉ

Vous avez raison, ça donne rien. Y paraît que ça donne rien d'vouloir être quelqu'un dans la vie!

JOJO

(*Elle s'assoit sur le banc centre.*) Ben, y a du monde, en effet, avec qui c't'une perte de temps.

LÉGARÉ

Aurais-tu une lettre de démission?

JOJO

C'que j'aurais pas pour toi!

LÉGARÉ

Ça coûtera c'que ça voudra! Écrivez-la en deux copies, pis ménagez pas les gros mots!

JOJO

À vos ordres, mon capitaine!

GERVAIS

Écoute, Alphonse, j't'ai pas baissé d'salaire! Que c'est qu'tu veux de plus? Ma job? C'est ma job que tu veux?

ST-GEORGES

Tu peux pas perdre ta job, Alphonse! C'est interdit par le syndicat!

LÉGARÉ

Quoi?

ST-GEORGES

Ça, ti-gars, c'est dans convention des chauffeurs!

LÉGARÉ

Chauffeurs?

ST-GEORGES

Oui monsieur.

> *La vieille dame à la sacoche vient d'entrer pour aller au guichet.*

LÉGARÉ

Mais quel chauffeur? Non, mais vous voyez un chauffeur icitte? Tiens! Vous, madame, vous voyez un chauffeur icitte?

VIEILLE DAME

Ben là, moé, j'voudrais pas être déplacée, là, mais ça s'pourrait!

LÉGARÉ

Bon ben, j'vais vous l'faire disparaître, moé!

GERVAIS

Qu'est c'est qu'tu fais là, Alphonse?

LÉGARÉ

J'me change en moyen de pression.

Légaré a commencé à se déshabiller.

ST-GEORGES

Alphonse! Alphonse, faut laver not' linge sale en famille.

LÉGARÉ

Ben, commence par mes culottes, St-Georges! (*Il lui lance
son pantalon.*)

VIEILLE DAME

C'est une honte, monsieur! Oui monsieur. J'vas me
plaindre à direction, moé!

LÉGARÉ

Ben c'est ça, madame, allez-y. Allez-y...

*La vieille dame sort en (B). Légaré monte sur le banc et
enlève sa chemise.*

GERVAIS

Je l'savais qu'on aurait des plaintes avec ça!

LÉGARÉ

C'est public, ces affaires-là, hein Gervais!

ST-GEORGES

Tu me déçois, ti-gars, tu me déçois fondamentalement!

Légaré est en caleçon.

LÉGARÉ

Ouais? Ben, si tu sacres pas ton camp pis Gervais avec, moé, j'enlève le reste!

GERVAIS ET ST-GEORGES

Non, non, non. On s'en va! On s'en va!

LÉGARÉ

Ben c'est ça... Allez reculer le siège du chauffeur... Mettez-le dans les toilettes en arrière, comme ça tout le monde va être content...

Ils sortent rapidement en (A) pendant que Légaré et Jojo éclatent de rire.

SCÈNE 15

Jojo, Légaré

LÉGARÉ
Pis... ma lettre de démission?

JOJO
J'ai fait une demande d'emploi à place!

LÉGARÉ
Pas au terminus, j'espère?

JOJO
Au président des États-Unis!

JOJO
(*Elle monte sur le banc à côté de lui et lit la lettre:*)
Monsieur le Président,

Je fais application car j'aimerais partir en fusée. Si vous pouviez remettre cette missile à la NASA, vous seriez ben smatte.

Légaré s'assoit sur le dossier du banc.

JOJO
J'ai jamais vu les États-Unis, ni Honolulu, ni les Îles Fidji.

Ça prend d'l'argent pour faire un monde, ça prend pas de temps pour le massacrer. La vie éclate à chaque seconde, on a mille raisons d'être déprimés. Rendez-nous la paix des Îles, les merveilleux couchers d'soleil, les temps sont fous, sont difficiles, les rêves sont flous, y a pus d'sommeil.

P.S. Si jamais j'tombe en amour, oubliez ma demande, j'vas rester sur terre!

LÉGARÉ

Ben, j'pense pas qu'ça me redonne ma job, ça, moé!

JOJO

Ben, au moins, tantôt tu l'as dit tout haut c'que tu pensais! (*Elle s'assoit à côté de lui.*)

LÉGARÉ

Ouais, mais y m'en reste encore gros su'l'cœur! (*Il remet ses chaussures.*)

JOJO

C'est comme moi, les affaires de cœur, j'en parle pas tout haut parce que ça s'parle mieux tout bas! Pas vrai?

LÉGARÉ

(*Il sort la lettre.*) Oui, c'est pour ça que t'écris des lettres d'amour...

JOJO

J'suis pas toujours en amour, des fois, j'écris pour gagner ma vie!

LÉGARÉ

Comme c'est là, moé, pour gagner ma vie, j'vais travailler aux objets perdus.

JOJO

Un Légaré aux objets perdus!

Légaré se met à rire.

LÉGARÉ

Aïe! Ça, c'est rare, non!

JOJO

Trop rare pour être vrai.

LÉGARÉ

Pardon?

JOJO

(*Se lève.*) J'aimerais postuler pour une autre demande.

LÉGARÉ

(*Se lève aussi.*) As-tu écrit au pape?

JOJO

Non, non, j'voudrais… J'voudrais travailler pour toi comme… objet perdu.

LÉGARÉ

Voudrais-tu m'faire comprendre tout bas qu'tu voudrais être mon ovni, toé, là?

JOJO

Pas ovni, plutôt oval.

LÉGARÉ

Oval?

JOJO

Ovni voulant aimer Légaré.

LÉGARÉ

Tu parles fort toé, quand tu parles tout bas!

JOJO

Ben, tant qu'à être dans les «oval», j'aimais mieux te l'dire carré.

LÉGARÉ

Ah, si j'm'écoutais, là, Jojo, j'partirais avec toé n'importe où, sus un coup d'tête!

JOJO

Ah oui. (*Elle retourne s'asseoir et fait comme si elle avait un volant d'autobus dans les mains.*) O.K.! Montre-moi comment on fait décoller ton vaisseau!

LÉGARÉ

(*Va s'asseoir à côté d'elle.*) Commence par le mettre du reculons! (*Elle mime le changement de vitesse.*) Maintenant, recule tranquillement… Tcheck tes miroirs… C'est ça!… Tranquillement… C'est facile… Tu l'as!… C'est ça!

JOJO

On peut y aller?

LÉGARÉ

Minute. Laisse-z-y prendre un bon respir! (*Jojo fait un bruit de moteur.*) Parfait! Astheure, tu peux shifter doucement en première… On est partis!… Tourne à gauche… Pis à gauche encore à la lumière… T'es pas pire!

Ils rient. Jojo mime la conduite de l'autobus.

JOJO

Pis là… Qu'est-ce qui arrive?

LÉGARÉ

On est sur l'autoroute!

JOJO

Wow! Un moyen raccourci!

LÉGARÉ

Colle ta ligne blanche! C'est comme si t'avalais l'asphalte!

JOJO

Brrrowowowmmm!

LÉGARÉ

Écoute les pneus crier! Regarde les arbres qui nous saluent! La route, maudit! La route!

Jojo salue les arbres.

LÉGARÉ

(*Exalté.*) Regarde en l'air! Y a un trou dans les nuages!... Plus vite!... Pèse sur l'gaz!

JOJO

J'peux pas, capitaine! Les moteurs sont pus capables d'en prendre!

LÉGARÉ

Oui, oui! Y sont capables! Une bête comme ça, ça a pas de limite!

JOJO

La route devient floue!

LÉGARÉ

Fonce! Fonce plus vite!

Jojo fait son bruit de moteur plus fort.

JOJO

On lève! On lève! On est des cosmonautes!

LÉGARÉ

Continue! Continue! Droit dans le ciel!

JOJO

Un autre raccourci!

LÉGARÉ

(*Complètement exalté.*) On vole au-dessus des routes!... des collines... des vallées! On est comme le vent qui flatte les montagnes... qui plonge dans les tunnels... qui fait des vagues au-dessus des champs... qui fouette les villes... qui... qui... qui... (*Légaré commence à décrocher de son rêve.*)

JOJO

Oups! On perd de l'altitude! (*Elle fait un bruit de moteur qui s'arrête.*)

LÉGARÉ

J'pourrai plus jamais vivre ça, maudit! J'pourrai plus jamais être le premier en avant, qui embrasse la route!

JOJO

Jamais? T'es sûr, jamais!

    Un temps.

LÉGARÉ

(*A une idée.*) Peut-être... juste une petite fois!

JOJO

Comme avant?

LÉGARÉ

Oui. Pourquoi on le fait pas pour vrai?

JOJO

Tu veux dire avec un vrai autobus?

LÉGARÉ

(*Se lève.*) Viens-t'en!

JOJO

On va voler un autobus?

LÉGARÉ

Y m'ont ben volé ma job! J'ai le droit à mon dernier voyage!

Ils se dirigent vers la sortie (C) en riant.

JOJO

On part en fusée!

LÉGARÉ

Le compte à rebours est commencé!

JOJO

(*De la coulisse.*) Dix... neuf... huit... sept... six...

les départs sont annoncés à l'intérieur seulement

une de départ province de québec seulement

SCÈNE 16

Paul-Edmond, le rockeur

Paul-Edmond arrive par (D). Il a revêtu son habit de noces et il se dirige vers le téléphone.

PAUL-EDMOND

Allô, mademoiselle, je voudrais faire un longue distance à l'église Sainte-Thérèse d'Arvida, s'il vous plaît, à frais virés, au numéro 548-9933... Paul-Edmond Gagnon... Non, Edmond... Paul Gagnon... Merci... Allô, Johanne! Où est-ce qu't'es, là?... En arrière de l'église... Bon, O.K. Vous pouvez y aller... (*Un temps.*) T'es belle!... Ben oui, je l'sais que je te vois pas, mais je sais qu't'es belle... O.K. Allez-y!

La suite de la scène est muette. Paul-Edmond se met en position avec le téléphone coincé sur l'oreille. Il fait comme s'il avançait dans l'allée centrale au bras de sa future. Arrivé devant le téléphone, il se met à genoux. Un temps. Il se lève debout. Un temps. Il se remet à genoux. Il se relève pour s'asseoir, mais il ne peut pas. Il reste debout. Soudain, il se met à sangloter.

PAUL-EDMOND

(*Au téléphone.*) Ben... Chus ému!

*Un temps. Il se met à genoux. Un temps. Il se relève. Il
sort de sa poche un missel et il lit:*

PAUL-EDMOND

(*Visiblement ému.*) Lecture de l'Épître de... Hein? (*Plus
fort.*) Lecture de l'Épître de saint Paul aux Éphésiens:
«Mes frères, que les femmes soient soumises à leur mari
comme au Seigneur; car le mari est le chef de la femme
comme Jésus-Christ est le chef de l'Église..., qui est son
corps, dont il est aussi le Sauveur. Ainsi, les maris doi-
vent aimer leur femme comme leur propre corps. Celui
qui aime sa femme s'aime lui-même...

> *On voit arriver, par l'arrière, notre rockeur du début. Il
> mange le contenu d'un sac de bâtons au fromage. Intri-
> gué par ce qui se passe au téléphone, il s'approche en car-
> rière de Paul-Edmond qui ne le voit pas.*

PAUL-EDMOND

... car nul ne hait sa propre chair, mais il la nourrit et
l'entretient comme Jésus-Christ agit envers l'Église,
parce que nous sommes les membres de son corps formé
de sa chair et de ses os. C'est pourquoi l'homme abandon-
nera son père et sa mère et s'attachera à sa femme et ils se-
ront tous deux une même chair. Que chacun de vous aime
donc sa femme comme lui-même et que la femme craigne
et respecte son mari. Amen.»

LE ROCKEUR

C'est beau en ostie! Ça, c'est vrai en ostie! Qu'est c'est
qu'tu fais là?

PAUL-EDMOND

(*Lui fait comprendre par des gestes qu'il se marie.*) J'suis en
train de me marier!

LE ROCKEUR

Hein?

PAUL-EDMOND

J'me marie au téléphone.

LE ROCKEUR

C'est la première fois que j'vois ça, man! (*Il regarde, respec-*
tueux. Paul-Edmond se remet à genoux. Le rockeur aussi. Un
temps. Paul-Edmond se relève. Le rockeur suit. Un autre temps.
Puis:)

PAUL-EDMOND

Oui!... Je le veux!

> *Paul-Edmond essaie de se passer lui-même l'anneau au*
> *doigt, il n'y arrive pas. Le rockeur lui prend alors*
> *l'anneau et le lui passe au doigt dans les règles de*
> *l'art.*

PAUL-EDMOND

Bon! Johanne... J't'embrasse, là!

> *Par pudeur, le rockeur se détourne.*

PAUL-EDMOND

Ben c'est ça... À demain!... Non! Non! c'coup-là, je le
manquerai pas!... Euh, Johanne?... Bonne soirée... madame Gagnon...

> *Suit une courte scène de «minouchage» où Paul-Edmond*
> *en arrive même à confondre le téléphone avec sa femme. Il*
> *raccroche. Le rockeur lui lance alors une poignée de bâ-*
> *tons au fromage en lui criant:*

LE ROCKEUR
Vive le marié, stie!

Ils sortent. Le rockeur par (D), Paul-Edmond par (C).

SCÈNE 17

Eugène Sauli

*On entend: «Lambton — Guadeloupe — Saint-Georges
de Beauce porte numéro six (bis). Gate number six.»
Eugène Sauli arrive par (D). Il a toujours ses pattes de
grenouille. Il est seul, triste et surtout affamé. Il voit par
terre un bâton au fromage. Comme il s'apprête à le ra-
masser, il l'écrase involontairement avec le bout de sa
patte de grenouille. Découragé, il va s'asseoir sur le banc
et place sa valise à côté de lui. Espérant y trouver quelque chose à manger, il l'ouvre. Surgit alors, comme d'une
boîte à surprise, une panoplie complète d'objets à usage
érotique. Surpris, Eugène essaie de refermer la valise qui
s'est bloquée en position ouverte: elle est conçue pour servir
d'étalage portatif. Eugène tente en vain de la cacher avec
une de ses palmes. Ce faisant, il remarque une petite
boîte dans la valise. Il s'en empare, l'ouvre, en sort une
culotte mangeable. Il lit le mode d'emploi sur la boîte
puis, ayant jeté un coup d'œil à gauche et à droite, il dé-
vore la culotte à belles dents, tout en lisant ce qui est
écrit sur la boîte, comme on lit, le matin, une boîte de
Corn Flakes. C'est sur cette image que la chanson re-
part, que l'éclairage baisse et que descend le...*

...RIDEAU

CET OUVRAGE
COMPOSÉ EN GARAMOND CORPS 12 SUR 14
A ÉTÉ ACHEVÉ D'IMPRIMER
LE 22 AOÛT
MIL NEUF CENT QUATRE-VINGT-ONZE
PAR LES TRAVAILLEURS ET TRAVAILLEUSES
DES PRESSES DE L'IMPRIMERIE GAGNÉ
À LOUISEVILLE
POUR LE COMPTE DE
VLB ÉDITEUR.

IMPRIMÉ AU QUÉBEC (CANADA)